NA
CIO
NAL

VINÍCIUS ROJO

FOTOS DE **TAYGOARA MARTINS**

DO **LADO** DO **FOGÃO**

DIRETOR-PRESIDENTE:
Jorge Yunes
DIRETORA EDITORIAL:
Soraia Reis
GERENTE EDITORIAL:
Luiza Del Monaco
EDIÇÃO:
Ricardo Lelis
ASSISTÊNCIA EDITORIAL:
Júlia Tourinho
REVISÃO:
Bia Nunes de Sousa
COORDENAÇÃO DE ARTE:
Juliana Ida
ASSISTÊNCIA DE ARTE:
Daniel Mascellani
Vitor Castrillo
PROJETO GRÁFICO DE CAPA E MIOLO:
Natália Tudrey (Balão Editorial)

1ª edição – São Paulo

CIP-BRASIL. CATALOGAÇÃO NA PUBLICAÇÃO
SINDICATO NACIONAL DOS EDITORES DE LIVROS, RJ

R645d
Rojo, Vinícius
Do lado do fogão / Vinícius Rojo. - 1. ed. - Barueri [SP] : Companhia Editora Nacional, 2020.
240 p.

ISBN 978-85-04-02156-1

1. Gastronomia. 2. Culinária - Receitas. I. Título.

20-66418 CDD: 641.5
CDU: 641.5

Meri Gleice Rodrigues de Souza - Bibliotecária - CRB-7/6439

NACIONAL

ABDR
EDITORA AFILIADA

Rua Gomes de Carvalho, 1306, 11º andar – Vila Olímpia
São Paulo – SP – 04547-005 – Brasil – Tel.: (11) 2799-7799
www.editoranacional.com.br – atendimento@grupoibep.com.br

SUMÁRIO

DESPEDIDA DE SOLTEIROS

59

NOITE DE JOGOS

77

ENCONTRO ROMÂNTICO

93

PETIT COMITÉ SAUDÁVEL

113

FESTA NA LAJE

135

CONEXÃO BRASIL-JAPÃO

155

AGRADECIMENTOS

A verdade é que este livro não foi escrito apenas por mim, foi desenvolvido em conjunto com profissionais por quem tenho a mais profunda admiração. Registro aqui o meu agradecimento a todos que contribuíram de alguma forma para que este projeto fosse materializado.

Para escrever este livro, nos planejamos para não parar a empresa, o buffet Rojo Gastronomia. Todas as receitas foram produzidas nas madrugadas e nos dias de folga da equipe. Todos nós nos divertimos muito, estávamos focados em fazer acontecer. Por isso, registro minha enorme gratidão àqueles que contribuíram com este lindo projeto: meus fiéis escudeiros Wesley Barranco, Manoel Cebolão, Osvaldinho Martins, Carina Orlando, Marina Bernardi e Karisa Cheque, e meu sócio Marião Carvalho da Silva, ora pois!

Muito obrigado a Isabella Durante, Veríssimo Correia, Ritinha de Cássia, Andrews Akira, Rodolpho França. Gratidão às minhas confeiteiras preferidas, Maiara Marinho e Ligia Barros: todo o apoio de vocês com as receitas das sobremesas foi imprescindível!

Não posso deixar de agradecer também à Ludmila e Aline, da Luli Ateliê, e toda a equipe da Rental Festa, que nos emprestaram as lindas louças para fazermos as incríveis fotos para o livro.

À minha mãe, Heloisa Rojo Machado, que sempre foi muito evoluída e desde criança me ensinou a sonhar com os pés no chão e a cabeça nas estrelas. Saudades!

Ao meu pai, Luiz Pasteur, com quem aprendi a ser íntegro, trabalhador e ter foco em minhas conquistas profissionais e pessoais.

Agradeço à Fabiola Giusti, que me deixou um legado maravilhoso sobre a consciência na cozinha e a importância dos alimentos saudáveis. Este livro foi aperfeiçoado graças a você.

Ao meu camarada Agnaldo Martins, ativista que dedica sua vida à agricultura biodinâmica. O planeta Terra agradece por seu iluminado trabalho.

Aos mestres Paulo Junqueira e Raphael Lafemina, com quem aprendi o princípio da gratidão e do equilíbrio, que são a base para uma vida saudável e feliz.

À Giovanna Rizzo, gratidão pela abundância de felicidade ao seu lado. Descobri que ser livre é viver a vida em um relacionamento fechado, com lealdade e amor verdadeiro. Que privilégio ter encontrado meu grande amor.

À Marcela Falcon, nossa produtora que cuidou dos detalhes. Seu toque feminino fez toda diferença.

Meu agradecimento especial ao Taygoara Martins, amigo antigo, que tem a minha eterna admiração. Desde 2009 falávamos em lançar um livro juntos. Demorou, mas aqui está ele. Em nosso melhor momento, missão cumprida. Você é o cara, Tay! Muito obrigado por ter dado vida e cor a esta obra.

AGRADECIMENTOS À EDITORA

À minha amiga Soraia Reis, Diretora Editorial, que esteve sempre ao meu lado desde a concepção do projeto até a realização do sonho. Juliana Ida e Ricardo Lelis, que capricho! Gratidão aos amigos que fizeram a conexão com a Companhia Editora Nacional: Stephanie Klovrza, Carol Fernandes, Rafael e Cléber Madrulha. Sinceramente, muito obrigado.

UM LIVRO MUITO BEM APURADO

Encontramos nas livrarias diversos livros com receitas que até parecem fáceis de executar, mas que na verdade deixam muita gente na mão, decepcionada por não conseguir concluir o preparo. Por isso, quando decidi escrever este livro, pensei em fazer uma publicação realmente fácil e útil, que possa ficar na cozinha, do lado do fogão no dia a dia. Um livro para todas as pessoas, com receitas simples para receber convidados de forma criativa e prazerosa.

Não se atenha às louças utilizadas nas fotografias, elas são apenas ilustrativas. Você pode servir na louça de uso diário ou mesmo aquela que está guardada lá no fundo do armário. Lembra aquela taça que ainda está dentro da caixa desde que você ganhou de presente de casamento? Sabe aquela bandeja que está manchada e você tem vergonha de usar? Elas podem ser o toque especial para servir os pratos. Todas as receitas e apresentações neste livro são para lhe inspirar, então não precisa segui-las à risca em cada detalhe. Troque um ingrediente por outro que se adeque mais ao seu gosto, adicione algo especial para sua namorada ou seu amigo. Não há necessidade de regras formais na cozinha de casa. Vamos criar juntos!

A gastronomia é uma ciência subjetiva, o que dá abertura para que tenhamos surpresas maravilhosas – e também grandes desastres – em nossas cozinhas. Duas frutas colhidas no mesmo pé podem ter gosto diferente, uma mais doce ou mais ácida do que a outra. Outro ponto importante é o forno, o seu pode ser mais ou menos potente do que o meu. Você pode amar ou odiar pimenta; gostar de mais ou menos sal, e todos esses fatores podem levar a resultados variáveis.

Aposto com você, se eu passar a mesma receita para dez pessoas e provar todas, nenhuma vai sair igual. Todas podem ser saborosas e ter uma linda aparência, mas nenhuma delas será idêntica às demais, seja no sabor, seja na apresentação final. O melhor da culinária é justamente isto: a possibilidade da troca de experiências e o estar aberto à inventividade; eis o conceito desta obra.

Assim, espero que este livro traga muita energia do bem para sua cozinha e união em sua mesa, junto a sua família e seus amigos. Meu desejo é encorajar sua criatividade. Bora cozinhar juntos? Mas lembre-se de que o toque final é por sua conta. Cada capítulo desta obra é um momento, um encontro único, assim como a vida.

Faça posts dos seus pratos, marque seus amigos e fique à vontade para dividir comigo esse momento de união do lado do fogão. Espero você nas minhas redes sociais: @vini.rojo é o meu perfil, e a nossa hashtag é #doladodofogao. Vou ficar bem feliz em receber seu comentário!

Espero que este livro contribua com muito amor e boas lembranças na caminhada de sua vida!

COMIDA NA MEDIDA CERTA

Na cozinha, assim como na vida, há uma medida. Uma pitada a mais, 100 ml a menos e pronto, a comida fica um desastre! Quem nunca salgou demais um bife ou uma panela de feijão que atire a primeira colher. Adaptar ingredientes é sempre importante (os alérgicos e intolerantes a determinados alimentos que o digam), mas o cuidado com a quantidade é essencial. Então, para facilitar as coisas, começo o livro com algumas conversões de medidas.

O peso dos ingredientes pode variar de acordo com a densidade do produto. Por exemplo, uma xícara de manteiga pesa aproximadamente 200 g, e a mesma xícara, se for de açúcar, 180 g; se for de farinha de trigo, uns 140 g. Na verdade isso não importa, já que vamos preparar nossas receitas em medidas caseiras (xícaras, colheres etc.), mas vale a dica para suas experiências futuras.

Aí vão as quantidades para que você consiga fazer uso de um jogo de medidores padrão:

1 xícara equivale a aproximadamente 240 ml (de água e líquidos em geral) – essa medida é utilizada na maioria das receitas do livro. Se você quiser usar um medidor que esteja em inglês, nesse caso, a medida para xícara chama-se *cup*. Arredondando, ela equivale a ¼ de litro;

1 copo (de requeijão) contém aproximadamente 220 ml, um pouco a menos do que a xícara;

1 colher de sopa equivale a 15 ml (também a 3 colheres de chá);

1 colher de chá equivale a 5 ml;

1 colher de café equivale a 2 ml;

1 caixinha de creme de leite contém aproximadamente 200 g;

1 vidrinho de leite de coco contém aproximadamente 200 ml;

1 garrafa de vinho contém geralmente 750 ml;

1 taça de vinho equivale a aproximadamente 150 ml;

1 dose equivale a 50 ml;

1 ovo pesa, em média, de 50 a 60 g;

1 clara pesa aproximadamente 30 g;

1 gema pesa aproximadamente 20 g.

UMA PAIXÃO QUE MEXE AS PANELAS

Trabalhei nove anos em empresas multinacionais, mas eu não combinava com aquele ambiente formal, muito menos tinha *expertise* em administrar vaidades. Aos 27 anos decidi trocar o sapato pelo tamanco de borracha, o terno pela roupa de cozinheiro, a caneta pela faca, e o ar-condicionado do escritório pelos cinquenta graus da cozinha. Por outro lado, sou um privilegiado por ter tido essa trajetória de executivo, pois foi a melhor escola para aprender a gerir meu buffet, o Rojo Gastronomia.

Depois dessa difícil e sofrida mudança de vida, da qual pensei várias vezes em desistir, sou grato por trabalhar com o que mais amo, que é cozinhar e servir! É o maior tesão da minha vida. Só queria ter mais tempo para ficar na cozinha, mas os negócios acabam obrigatoriamente nos tornando mais empreendedores e menos cozinheiros.

Quando trabalhava na consultoria de tecnologia, demorava um ano para alguém elogiar ou criticar o meu trabalho. E isso acontecia apenas na reunião de *feedback*. Entretanto, quando preparamos um prato e o servimos ao cliente, não leva uma hora para ele falar o que acha, o retorno vem no ato: *"Muito obrigado, isso está excepcional!"*. Essa energia e gratidão é o que nos move dia a dia ao realizar eventos para dezenas de milhares de pessoas durante o ano, em um ambiente de trabalho insalubre e de bastante estresse, que nos exige muita dedicação física e mental. É tarefa para poucos. Tem que ser louco de paixão pelo ofício! Se não se dedicar de coração, o profissional não tem como prosperar. Quem trabalha na cozinha sabe, é bem difícil; mas a profissão de cozinheiro é prioridade muitas vezes até em relação à família e aos amigos, por um longo período da vida.

SOBRE O ESTILO DE VIDA

Sempre fui exagerado e gosto de comer de tudo. Odeio passar vontade. Meu sonho quando criança era ter dinheiro para comer *cheesebacon* e tomar "refri" todos os dias. Porém, precisamos de equilíbrio na vida. Recentemente, comecei a me envolver com uma cozinha mais consciente para minha vida pessoal e comecei a levar alguns hábitos que julgo valiosos para os nossos clientes. Algumas práticas já são antigas no buffet Rojo Gastronomia, como reciclar óleo de cozinha e o lixo gerado; reciclagem é imprescindível. Substituímos o açúcar refinado por açúcar orgânico e açúcar de coco. Às vezes, utilizamos xilitol, um adoçante natural de baixa caloria que é mais saudável. Nosso chocolate é de excelente qualidade e o cacau tem cultivo sustentável. Produtos orgânicos e biodinâmicos, sempre que estejam disponíveis em quantidades e preços acessíveis, também são nossa prioridade. Por isso, quando for preparar as suas receitas, fique à vontade para usar o ingrediente que esteja em harmonia com seu estilo de vida e que caiba no seu bolso.

É muito importante para mim poder compartilhar este momento com você. Me sinto feliz!

VINÍCIUS ROJO

PARA TORCER COM SABOR

COMIDAS DE ESTÁDIO DE FUTEBOL

Final de campeonato é sempre um momento importante e de muita tensão, principalmente quando estamos com os amigos. As mãos ficam suadas, as pernas começam a tremer e a gente fica rouco de tanto xingar o adversário.

Quando sai o GOOOOOL vale até derramar umas lágrimas de felicidade. Escondido, claro! ;)

Para acompanhar esse dia inesquecível, vale deixar a casa com clima de estádio. Pendure a bandeira de seu time na janela, vista a camisa do coração e ponha a cerveja para gelar.

Deixe tudo arrumado e vá para a cozinha. Seja para comemorar a vitória ou acalmar as mágoas, a comida é essencial para esse dia, principalmente quando ajuda a entrar no clima do jogo.

PERNIL NA CERVEJA

COM CEBOLA ROXA CARAMELIZADA E MAIONESE DE AÇAFRÃO

QUANDO EU ERA MOLEQUE, IA AOS ESTÁDIOS DE FUTEBOL COM MEU IRMÃO ADOTIVO HERMINHA PARA TORCER PELO MEU TIME DO CORAÇÃO. SEMPRE COMÍAMOS UM "SANDUBA" DE PERNIL NA BARRACA DO ZELÃO. QUANDO O JOGO ACABAVA, SE A BARRACA AINDA ESTIVESSE ABERTA, A GENTE BATIA AQUELE PERNIL DE SAIDEIRA. A BASE DESTA RECEITA É CRIAÇÃO DE UM "CABRA" QUE TRABALHOU COMIGO POR UM BOM TEMPO, O MANOEL, TAMBÉM CONHECIDO COMO CEBOLÃO, PIAUIENSE ARRETADO E PRECISO NOS CORTES COM FACA.

INGREDIENTES

PERNIL

1 kg de pernil suíno
2 latas de cerveja
½ xícara de alecrim
½ xícara de salsinha
água suficiente para cobrir a carne
sal a gosto
pimenta-do-reino moída a gosto

DICA

Olhe sempre a embalagem do óleo e procure dar preferência para produtos não transgênicos. Você pode substituir o óleo da maionese por azeite.

MAIONESE

2 gemas
1 ovo
1 sachê de açafrão
10 gotas de suco de limão
1 colher (sopa) de creme de leite de caixinha
óleo suficiente para dar o ponto
sal a gosto
pimenta-do-reino moída a gosto

FINALIZAÇÃO

4 cebolas roxas cortadas finas
4 colheres (sopa) de manteiga
12 pães franceses (tamanho míni)

MODO DE FAZER

PERNIL

Em uma panela de pressão, coloque a carne, a cerveja e todos os temperos. Adicione água até cobrir a carne. Tampe. Leve ao fogo. Quando pegar pressão, cozinhe por 50 minutos ou até que a carne fique bem macia. Desligue o fogo, espere a pressão sair naturalmente e só então abra a panela. Retire o pernil e peneire a água do cozimento. Reserve.

Quando o pernil estiver morno, o desfie com as mãos e a ajuda de um garfo. Em seguida, leve a cebola ao fogo junto com a manteiga em fogo baixo até ela ficar levemente dourada. Junte o pernil desfiado com a cebola e refogue tudo junto. Adicione aos poucos a água do cozimento previamente peneirada para que o pernil fique bem suculento, molhadinho (1 xícara costuma ser suficiente).

MAIONESE

Misture todos os ingredientes – com exceção do óleo – com um batedor manual. Em seguida, sem parar de bater, incorpore o óleo lentamente até que a maionese dê o ponto.

PARA A MONTAGEM

Corte os minipães franceses e passe uma camada de maionese em cada lado do pão. Recheie os pães com o pernil e a cebola caramelizada. É GOOOOOOOOOOL!

RENDIMENTO: Dá para fazer uns 12 "minissandubas" de pernil bem recheados. Esta receita rende bem.

FEIJÃO-TROPEIRO "É NÓIS"

ESTA RECEITA É INSPIRADA NO TROPEIRO DO MINEIRÃO – COMO É CONHECIDA A FAMOSA VERSÃO DESSE PRATO, SERVIDA NO ESTÁDIO MAIS EMBLEMÁTICO DE BELO HORIZONTE - E FICA TÃO GOSTOSA QUANTO, MAS, CLARO, SEM NENHUMA PRETENSÃO DE SE COMPARAR AO CLÁSSICO MINEIRO. BOM "*DIMAIS*" ESSE "TREM", "SÔ"!

INGREDIENTES

FEIJÃO-TROPEIRO

- 2 xícaras de feijão cozido em 2,5 litros de água por 20 minutos (ver dica)
- ½ xícara de linguicinha defumada, cortada em rodelas finas
- ½ xícara de bacon picadinho
- ½ xícara de presunto tipo Parma bem picado
- ½ cebola picada
- 2 dentes de alho picados
- 1 xícara de farinha de mandioca
- cheiro-verde (salsinha e cebolinha) picado a gosto

COUVE

- 4 xícaras de couve-manteiga (sem o talo e cortada bem fininha)
- 4 dentes de alho bem picados
- 2 colheres (sopa) de manteiga
- 1 fio de azeite
- alho frito para finalizar

DICA

Cozinhe o feijão com mais água do que o normal e por menos tempo. Não pode estar cru, mas também não pode estar desmanchando na boca, como estamos acostumados a comer no dia a dia. O bacon e presunto darão mais sabor ao refogado.

FINALIZAÇÃO

- 4 bifes anchos, um para cada prato (1 dedo de altura, pelo menos!)
- 4 fatias longas e grossas de bacon, ou mais, se desejar!
- 4 ovos caipiras (1 para cada prato)

MODO DE FAZER

TROPEIRO

Cozinhe o feijão como mencionado na dica. Depois, em uma frigideira, refogue a linguiça, o bacon e o presunto. Quando começar a soltar a gordura, adicione a cebola e depois o alho. A cebola vai começar a murchar, então adicione o feijão. Em seguida, adicione a farinha de mandioca aos poucos até dar o ponto desejado. Mexa bem para que a farinha dê uma leve tostada. Pode caprichar no cheiro-verde! Se quiser o tropeiro um pouco mais molhado, adicione o caldo do cozimento do feijão. Use colher de pau para manter as tradições e ficar mais gostoso.

COUVE

Refogue a couve por uns 3 minutos na manteiga, no alho e no azeite, até que ela murche e fique brilhante.

PARA A MONTAGEM

Em uma frigideira, grelhe as fatias de bacon e os *bifes anchos*. Em outra frigideira com óleo, frite os ovos com cuidado para não estourar as gemas.
Monte os pratos de forma rústica, sem frescura!

RENDIMENTO: Serve "*nóis quatro di boa*"!

DICA

Para a finalização, escolha O Bife, O Ovo e O Bacon, assim, com letras maiúsculas, por favor, pois esses ingredientes têm sabor marcante e merecem muito respeito!

CAIPIRINHA PARA COMER DE COLHER

OS MAIS CONSERVADORES QUE ME DESCULPEM PELA OUSADIA, MAS, COMO ADORO TOMAR UMA BOA CAIPIRINHA, CRIEI ESTA OPÇÃO MAIS DIVERTIDA, INSPIRADA NA GELATINA DE PINGA DA MINHA VÓ MAFALDA.

INGREDIENTES

¾ de xícara de suco de limão (aproximadamente 3 a 4 limões)
¾ de xícara de cachaça
½ xícara de água
4 colheres (sopa) de açúcar
1 colher (chá - não muito cheia!) de ágar-ágar

DICA

O ágar-ágar também é encontrado em mercados com o nome de pó de Kanten. É um gelificante natural, vegano, feito de algas marinhas, diferentemente da gelatina tradicional, que em geral provém dos animais.

MODO DE FAZER

Corte os limões ao meio e extraia o suco. Com a ajuda de uma colher e uma tesoura com ponta, retire toda a polpa e o bagaço de cada limão com cuidado, para não danificar as cascas. Limpe-os para que fiquem lisos por dentro e reserve para a montagem.

Misture a cachaça, a água, o açúcar e o ágar-ágar em uma panela. Mexa bem com um batedor manual para dissolver o ágar-ágar. Leve ao fogo até o ponto de pré-ebulição (quando surgirem pequenas bolhas na panela). Continue mexendo. Não deixe ferver, senão todo o álcool vai evaporar. Tire do fogo e adicione o suco de limão. Mexa para incorporar todos os ingredientes.

PARA A MONTAGEM

Com a mistura ainda quente e líquida, coloque a caipirinha dentro das cascas dos limões. Leve à geladeira até que fique com a consistência de gelatina. Mantenha refrigerado até o momento do consumo.

DICA

Fica muito bacana servir a caipirinha sólida na casca do limão! O ideal é que seja consumida no mesmo dia do preparo, porque ela pode amargar na casca. Uma dica para minimizar o amargor é ferver 1 litro de água com 1 xícara de açúcar e deixar as cascas dos limões de molho na véspera. Repita esse processo pelo menos uma vez. Esse procedimento não vai reduzir todo o amargor, mas vai diminui-lo consideravelmente. Fica muito interessante também servir a caipirinha sólida em taças de vidro. Também pode ser decorado com raspas de limão.

RENDIMENTO: 6 a 8 caipirinhas, preparadas em limões cortados ao meio.

BOMBEIRINHO DO CHEF

BOMBEIRINHO ERA A ÚNICA BEBIDA QUE EU TINHA DINHEIRO PARA COMPRAR QUANDO ERA ADOLESCENTE REBELDE. SEM GRANA E SEM PALADAR PARA COMPRAR UM BOM DRINK, EU IA ASSISTIR FUTEBOL NA TV DE UM BOTECO QUE SE CHAMAVA MATA-FOME. LÁ EU BEBIA PINGA RUIM COM GROSELHA! SEMPRE ACHEI AQUELA BEBIDA INCRÍVEL! NA VERDADE, EU NÃO TINHA NEM PALADAR NEM IDADE SUFICIENTE PARA BEBER... PARA MATAR A SAUDADE, AQUI ESTÁ UMA VERSÃO MAIS ELABORADA DA BEBIDA QUE MARCOU MINHAS LOUCURAS DE ADOLESCÊNCIA. SÓ TOME CUIDADO PORQUE O BOMBEIRINHO DO CHEF, AO CONTRÁRIO DO QUE O NOME SUGERE, NÃO APAGA, MAS SIM TOCA FOGO EM QUEM O BEBE!

INGREDIENTES

BOMBEIRINHO

45 ml de uma boa cachaça envelhecida
20 ml de suco de laranja
20 ml de suco de limão-siciliano
20 ml de groselha
gelo a gosto

DECORAÇÃO DA BORDA DO COPO

½ laranja (cortada ao meio)
1 colher (sopa) de açúcar
½ colher (sopa) de sal

MODO DE FAZER

Misture o açúcar e o sal para decoração e coloque em um pires. Umedeça a borda da taça passando nela a metade da laranja, depois passe na mistura de sal e açúcar para que toda a borda da taça fique com uma camada homogênea.
Em uma coqueteleira com gelo, misture todos os ingredientes do drink. Sirva-o na taça, adicionando mais gelo.

RENDIMENTO: 1 drink.

DICA

Use cubos de gelo grandes para servir porque eles derretem mais lentamente e deixam o drink menos aguado.

PAVÊ DE PÉ-DE-MOLEQUE

A PIRAÇÃO PARA CRIAR ESTA RECEITA VEIO DA LEMBRANÇA DO PÉ-DE-MOLEQUE EXAGERADAMENTE DOCE QUE EU COMPRAVA NA VENDA DA DONA MARIA, LÁ NO IPIRANGA, BAIRRO PAULISTANO ONDE NASCI, E DO FUTEBOL DE VÁRZEA LÁ DA VILA MONUMENTO. NAQUELA ÉPOCA, PARA BATER UM "FUTI" SÓ SE PRECISAVA DE UMA BOLA MURCHA E UNS PÉS DE MOLEQUE DE RUA.

INGREDIENTES

FAROFA DE PÉ-DE-MOLEQUE

2 xícaras de amendoim sem pele e sem sal
1 xícara de açúcar
½ lata de leite condensado
1 colher (sopa) de manteiga

PASTA DE AMENDOIM

1 xícara de amendoim torrado, sem pele e sem sal
⅓ de xícara de óleo de canola
1 colher (sopa) de açúcar

RECHEIO DE AMENDOIM

6 gemas
1 xícara de açúcar
2 colheres (sopa) de amido de milho
5 xícaras de leite
pasta de amendoim (utilizaremos toda a receita acima)

PARA A MONTAGEM

2 xícaras (chá) de leite
2 colheres (sopa) de licor de laranja
1 pacote de biscoito champanhe (aproximadamente 150 g)

MODO DE FAZER

FAROFA DE PÉ-DE-MOLEQUE

Coloque o amendoim em uma panela e leve ao fogo médio, mexendo de vez em quando até que ele fique torrado. Adicione o açúcar, mexendo de vez em quando. Cuidado para não queimá-lo.

Quando o açúcar ficar na cor de caramelo, adicione o leite condensado e a manteiga. Misture bem e despeje em uma pedra de mármore ou granito untada com um pouco de manteiga (também pode ser na pia da sua casa). Esse passo precisa ser rápido, enquanto o preparado ainda estiver quente. Espalhe bem passando uma espátula por cima, para que não fique uma camada muito alta. Cuidado para não se queimar! Deixe esfriar. Pique com uma faca de forma bem grosseira, para que fique parecendo uma farofa de pé-de-moleque. Se colocar a mistura em um processador ou liquidificador, tome cuidado para não quebrar a hélice do equipamento, pois o pé-de-moleque é muito rígido.

PASTA DE AMENDOIM

Bata no liquidificador ou processador o amendoim, o óleo de canola e o açúcar até que a mistura fique cremosa. Reserve.

RECHEIO DE AMENDOIM

Em uma tigela, misture as gemas e o açúcar batendo bem com um batedor manual. Adicione o amido e mexa bastante para incorporar. Reserve.
Leve o leite ao fogo em uma panela. Quando ferver, despeje metade desse leite aos poucos na tigela com as gemas, o açúcar e o amido, mexendo sempre. Retorne a mistura para a panela com o restante do leite e leve novamente ao fogo médio. Mexa sem parar. Esse processo é necessário para que as gemas não coagulem. Após ferver, o creme vai engrossar. Continue mexendo por mais 1 minuto, desligue o fogo e adicione a pasta de amendoim. Misture tudo, coloque em um recipiente e reserve. Tampe com filme de PVC encostando no creme para que não forme uma película na superfície. Espere esfriar e leve à geladeira por 2 horas.

PARA A MONTAGEM

Em uma travessa de vidro, coloque metade do recheio de amendoim previamente resfriado até cobrir toda a base do recipiente.
Em uma tigela, misture o leite com o licor de laranja. Passe o biscoito champanhe rapidamente nessa mistura, retire o excesso e coloque sobre o recheio de amendoim. Repita esse processo com os biscoitos até cobrir toda a primeira camada de recheio. Também coloque um pouco da farofa de pé-de-moleque por cima dos biscoitos. Cubra com a outra metade do recheio. Salpique mais farofa de pé-de-moleque por cima. Está pronto!

RENDIMENTO: 1 travessa de 20 x 30 cm.

DICA

Você também pode montar o pavê de pé-de-moleque em recipientes individuais, como os que usei na foto.

BATATA FRITA RÚSTICA COM *DIP* DE MAIONESE DE PIMENTA E SAL DE ERVAS

NÃO CONHEÇO NINGUÉM QUE NÃO GOSTE DE BATATA FRITA. COM MAIONESE CASEIRA, POTENTE E MARCANTE, FICA AINDA MELHOR. AS RÚSTICAS, COM CASCA, FICAM CROCANTES POR FORA E CREMOSAS POR DENTRO, PERFEITAS! FRITE NA HORA QUE FOR COMER. DÊ UM DRIBLE NA RECEITA TRADICIONAL E FAÇA ESTA JOGADA SENSACIONAL.

INGREDIENTES

SAL DE ERVAS

½ xícara de sal grosso
1 colher (sopa) de manjericão seco
1 colher (sopa) de tomilho seco
1 colher (sopa) de orégano seco
1 colher (sopa) de alecrim seco

MAIONESE

2 colheres (sopa) de pimentão vermelho bem picado
2 pimentas dedo-de-moça (sem semente; ver dica na p. 32)
1 ovo
2 gemas
50 ml de azeite
sal a gosto
óleo suficiente para dar o ponto

BATATA FRITA

5 batatas asterix
óleo para untar a assadeira
óleo para fritar

MODO DE FAZER

SAL DE ERVAS

Bata o sal grosso no modo "pulsar" do liquidificador com todas as ervas. Guarde em um recipiente tampado e armazene em ambiente seco.

MAIONESE

Coloque em um liquidificador o pimentão, a pimenta, o ovo e as gemas e comece a bater. Incorpore o azeite e o sal, depois despeje o óleo em fio até dar o ponto.
A sugestão para essa maionese é colocar pouco óleo para que fique um pouco mais líquida, para mergulhar as batatas na maionese. Quando a "maiô" estiver pronta, reserve em um potinho e deixe na geladeira até que as batatas sejam fritas.

BATATA FRITA

Lave as batatas com casca rapidamente em água corrente e seque com um pano ou papel-toalha. Não tire a casca. Corte-as no sentido longitudinal. Unte uma assadeira com óleo, espalhe as batatas e asse-as a 160°C por 30 minutos. Tire as batatas da assadeira com o auxílio de uma espátula. Frite-as por imersão no óleo quente. Após a fritura, tempere imediatamente com o sal de ervas. Sirva com a maionese de pimenta à parte ou em cima das batatas.
Seus convidados vão chorar de alegria com essa batata frita rústica como se tivessem ganhado um título mundial!

DICA

Para tirar as sementes da pimenta dedo-de-moça, com uma faca pequena, faça cortes no sentido longitudinal da pimenta e remova as sementes. Passe-as em água corrente. Depois desse processo, é importante lavar bem as mãos e não levá-las ao rosto por pelo menos 1 hora.

RENDIMENTO: Os seus convidados atacarão a comida como um Hooligan. Esta receita serve 4 fanáticos por batata e futebol.

CHURRASQUINHO DE FILÉ-MIAU

SABE AQUELE CHURRASQUINHO DE ESTÁDIO DE FUTEBOL? NÃO O DA PORTA DO ESTÁDIO, MAS O DA RUA DE TRÁS, QUE COLOCAVA A TURMA EM DÚVIDA QUANTO À PROCEDÊNCIA DA CARNE, SABE QUAL É? ENTÃO, JÁ COMI VÁRIOS DELES, E MUITO BONS POR SINAL! MAS, PARA NÃO FICAR PENSANDO SOBRE DE ONDE VEIO A CARNE, VAI AÍ UMA BOA DICA PARA MATAR A VONTADE DE COMER ESPETINHO, FAÇA O SEU! SE NÃO ESTIVER COM PACIÊNCIA PARA ACENDER A CHURRASQUEIRA, PODE FAZER NA FRIGIDEIRA MESMO, QUE TAMBÉM FICA MUITO GOSTOSO.

INGREDIENTES

ESPETINHOS

filé-mignon limpo cortado em 20 cubos de 3 cm (aproximadamente 400 g)
¾ de xícara de vinho tinto, para marinar
espetinhos de madeira para churrasco
queijo coalho cortado em 20 cubos de 3 cm (aproximadamente 350 g, 1 pacotinho)
sal e pimenta a gosto
azeite e manteiga para grelhar

VINAGRETE

2 tomates cortados em cubos pequenos (sem semente)
½ cebola cortada em cubos bem pequenos
¼ de pimentão verde em cubos pequenos
coentro a gosto (opcional... eu curto muito!)
suco de ½ limão
1 colher (sopa) rasa de mostarda
½ xícara de um bom azeite
sal a gosto

MODO DE FAZER

Marine os cubos de filé-mignon no vinho tinto por pelo menos 1 hora.

Enquanto a carne fica na marinada, adiante o preparo do vinagrete misturando todos os ingredientes com a ajuda de uma colher.

Retire a carne da marinada, deixe escorrer o excesso de vinho e monte os espetinhos, intercalando os cubos de filé-mignon e os de queijo coalho. Tempere com sal e pimenta.

Aqueça uma frigideira antiaderente com um fio de azeite e um pouco de manteiga. Grelhe os quatro lados dos espetinhos. Sirva-os com o vinagrete.

RENDIMENTO: 8 espetinhos.

BALADA DESCOLADA

PARA JOVENS DE TODAS AS IDADES

As receitas desta seção foram criadas pensando em apresentar um menu mais elaborado para quem tem o espírito jovem.

As comidinhas aqui têm a cara dos bons tempos. Na real, elas têm uma *vibe* de certa nostalgia que agrada a muita gente grande.

SUPERDOG GRATINADO

HOT-DOG AGRADA A CRIANÇAS, ADOLESCENTES E ADULTOS GULOSOS COMO EU. PARA INOVAR UM POUCO AO PREPARÁ-LO, EU LHE DESAFIO A OUSAR, USANDO DIFERENTES TIPOS DE SALSICHAS, PÃES, MOLHOS E MOSTARDAS. PORTANTO A DICA É ESCOLHER ALGO NOVO. EXISTEM SALSICHAS ARTESANAIS DELICIOSAS, SAIA DO CONVENCIONAL! TAMBÉM VOU LHE ENSINAR A FAZER UM KETCHUP CASEIRO DE GOIABADA E UM MOLHO CREMOSO DE QUEIJOS. É PÁ-PUM! VOCÊ VAI AMAR AINDA MAIS O HOT-DOG.

INGREDIENTES

Escolha a salsicha de sua preferência, e a quantidade equivalente de pão de hot-dog.

CREME DE QUEIJOS

4 colheres (sopa) de azeite
1 dente de alho ralado
150 g de requeijão do tipo Catupiry
150 g de *cream cheese*
150 g de queijo cheddar
suco de 1 limão-siciliano

KETCHUP CASEIRO DE GOIABADA

1 cebola picada
1 dente de alho picado
1 fio generoso de azeite
200 g de goiabada cascão cortada em cubos
1 lata de 400 g de tomate pelado
1 xícara de água
2 colheres (sopa) de vinagre de framboesa ou de maçã
1 colher (sopa) de vinagre balsâmico
1 colher (chá) de sal
2 colheres (chá) de molho de pimenta

MODO DE FAZER

CREME DE QUEIJOS

Aqueça o azeite e doure o alho. Esse processo é muito rápido, portanto cuidado para não queimar o alho!
Coloque o requeijão, o *cream cheese*, o cheddar e o suco de limão. Mexa sem parar até levantar bolhas de fervura. Está pronto! Espere amornar e guarde para a montagem do dogão.

KETCHUP CASEIRO DE GOIABADA

Refogue a cebola e o alho em um fio de azeite. Adicione a goiabada e cozinhe em fogo baixo, até começar a derreter e pegar no fundo da panela. Adicione o tomate pelado e a água. Coloque o vinagre, o balsâmico e o sal. Ferva por 10 minutos em fogo baixo. Desligue o fogo. Adicione o molho de pimenta. Bata no liquidificador. Espere esfriar.

PARA A MONTAGEM

Cozinhe a sua salsicha de preferência e coloque no pão de hot-dog. Cubra com muito molho de queijo e leve ao forno para gratinar. Sugiro servir com o ketchup de goiabada à parte.

ACOMPANHAMENTOS SUGERIDOS PARA O SEU DOGÃO

bacon grelhado
batatas chips (ver receita na página 84)
vinagrete (ver receita do Churrasquinho de filé-miau na página 34)
maionese de pimenta (ver receita da Batata frita rústica na página 31)

DICA

Pensando no meio ambiente, sugiro o reaproveitamento de potes de vidro, como os que embalam geleia, para armazenar o ketchup e o molho de queijos. Mantenha refrigerado.

RENDIMENTO: Dá para preparar muitos hot-dogs: depende do tamanho da festa, da quantidade de pão e salsicha que você vai usar e do quanto você vai caprichar na montagem dos sanduíches.

MINIBÚRGUERES COLORIDOS

SE EXISTE UM TIPO DE COMIDA QUE TODO MUNDO GOSTA É *JUNK FOOD*. PREPARADA EM CASA, ELA PODE FICAR MAIS SAUDÁVEL POR NÃO CONTER ADITIVOS QUÍMICOS. ALIÁS, HAMBÚRGUER CASEIRO É TUDO DE BOM, BEM MAIS GOSTOSO DO QUE OS INDUSTRIALIZADOS DAS GRANDES REDES DE *FAST-FOOD*. VOU LHE ENSINAR DUAS RECEITAS, PARA QUE SEUS AMIGOS PIREM NO *BURGER* E FIQUEM IMPRESSIONADOS COM SUAS HABILIDADES NA COZINHA.

DICA

Para mim, o ponto ideal para dar a liga é quando o hambúrguer é moído na máquina duas vezes. Se for moída apenas uma vez, a carne pode ficar quebradiça, e for moída mais de duas vezes, fica com uma textura compacta demais, que não me agrada por lembrar hambúrguer industrializado.

INGREDIENTES

MINIBÚRGUER ROSA

400 g de patinho moído
100 g de queijo gorgonzola em pedaços pequenos
sal a gosto
pimenta-do-reino a gosto
8 fatias pequenas de queijo emmental (1 para cada hamburguinho)
8 minipães de beterraba

MINIBÚRGUER VERDE

200 g de fraldinha moída
200 g de acém moído
½ cebola bem picada
2 dentes de alho ralados
2 colheres (sopa) de molho inglês
8 fatias pequenas de queijo cheddar (1 para cada hamburguinho)
8 minipães de espinafre

MODO DE FAZER

MINIBÚRGUER ROSA

O que dá estrutura para o hambúrguer é a gordura. Nesta receita, o gorgonzola faz esse papel. Misture o patinho com o gorgonzola. Faça oito bolas de carne e molde-as no formato de hambúrguer. Tempere a carne com sal e pimenta no momento que for grelhar.
O gorgonzola é um queijo salgado, então tome cuidado para não exagerar!
Em uma grelha ou frigideira, grelhe os hambúrgueres em fogo alto até que o sangue da carne comece a aparecer na superfície; nesse momento está na hora de virar e grelhar o outro lado.
Coloque uma fatia de queijo emmental em cima de cada hambúrguer. Quando estiver no ponto e o queijo derretido, monte no minipão de beterraba.

MINIBÚRGUER VERDE

A fraldinha é uma carne magra e o acém tem gordura suficiente para dar estrutura e suculência ao hambúrguer. Misture as duas carnes, a cebola, o alho e o molho inglês. Faça oito bolinhas com a carne e aperte-as nas palmas das mãos para moldá-las no formato de hambúrguer. Tempere com sal e pimenta. Grelhe conforme explicado anteriormente.

DICA

Se não encontrar os pães coloridos na sua padaria, compre o minipão de hambúrguer tradicional ou o minipão australiano. Fica tão bom quanto!

RENDIMENTO: 16 minibúrgueres, sendo 8 de cada receita.

ESTROGONOFE "DAORA"!

ESTROGONOFE É UM PRATO DE ORIGEM RUSSA, MAS EXISTEM MUITAS VARIAÇÕES DESSA RECEITA NO MUNDO. NO BRASIL ELA SE POPULARIZOU COMO UM PRATO DE CARNE BOVINA E CREME DE LEITE, MAS TEM DIVERSAS VARIAÇÕES: FRANGO, CAMARÕES, VEGETARIANO COM PALMITO... COM OU SEM CHAMPIGNON, QUASE TODOS OS JOVENS CURTEM UM BOM "ESTROGO"! CRIEI UMA VERSÃO DIFERENTE, MAIS ELABORADA E MAIS SAUDÁVEL, SEM PERDER A BASE CLÁSSICA. SUBSTITUÍ OS CHAMPIGNONS EM CONSERVA POR COGUMELOS FRESCOS E TROQUEI O KETCHUP POR MOLHO DE TOMATE. AGRADA CRIANÇAS E ADULTOS.

INGREDIENTES

ARROZ FORMIGUEIRO

2 xícaras de arroz negro cozido
1 xícara de arroz integral cozido
um fio de azeite

BATATINHAS RÚSTICAS

30 batatas bolinhas inteiras
¼ de xícara de azeite
sal a gosto
pimenta-do-reino preta moída
10 ramos de tomilho

FRICASSÊ DE PORTOBELLO

1 bandeja de cogumelos portobello (aproximadamente 200 g)
1 dente de alho bem picado
2 colheres (sopa) de manteiga
50 ml de vinho branco seco
1 colher (sopa) de vinagre balsâmico
sal e pimenta a gosto

ESTROGONOFE

500g de filé-mignon cortado em cubos de 3 cm
50 ml de conhaque
25 ***échalotes*** sem casca (cozidas por 3 minutos em 1 litro de água e ½ xícara de açúcar)
2 bandejas de cogumelos-de-paris
1 colher (sopa) de vinagre balsâmico
1 xícara de molho de tomate caseiro peneirado (se quiser agilizar, compre pronto!)
3 xícaras de creme de leite fresco
1 colher (sopa) de mostarda de Dijon
1 colher (sopa) rasa de açúcar demerara
azeite e manteiga para selar a carne e refogar as *échalotes* e os cogumelos

* cebola de tamanho pequeno, também conhecida por chalota.

MODO DE FAZER

ARROZ FORMIGUEIRO

Em uma frigideira, coloque um fio de azeite e refogue os arrozes negro e integral previamente cozidos. Reserve.

BATATINHAS RÚSTICAS

Coloque as batatas inteiras em uma assadeira com azeite, sal, pimenta e tomilho. Cubra com papel-alumínio e leve ao forno preaquecido na temperatura de 180 °C por 30 minutos. Retire o papel-alumínio e asse por mais 10 minutos a 200 °C até as batatas ficarem douradas e com as cascas enrugadas.

FRICASSÉ DE PORTOBELLO

Fatie todos os cogumelos. Toste o alho e os cogumelos na manteiga. Em seguida, adicione o vinho branco e o vinagre balsâmico. Espere reduzir e evaporar o líquido, não pode ficar muito seco. Tempere com sal e pimenta.

DICA

Às vezes os cogumelos acumulam um pouco de terra, mas não é bom lavar para não encharcá-los de água. Se necessário, limpe-os com um papel-toalha.

ESTROGONOFE

Em uma panela coloque o azeite e a manteiga. Aqueça bem e grelhe os cubos de carne rapidamente, de forma que fiquem grelhados por fora e malpassados por dentro. Adicione o conhaque quando a frigideira estiver bem quente e flambe. Cuidado com o fogo! Esse passo é rápido, espere evaporar o álcool. Retire os cubos de carne e reserve. Na mesma panela, refogue as *échalotes* previamente cozidas e os cogumelos com azeite e manteiga. Mexa com cuidado para não quebrar. Adicione o balsâmico, o molho de tomate, o creme de leite, a mostarda e o açúcar demerara. Coloque para ferver e reduzir; quando estiver no ponto ideal de cremosidade, prove a acidez. Se necessário, coloque mais um pouco de açúcar. Coloque os cubos de carne de volta na panela, espere levantar fervura novamente. Pode servir!

PARA A MONTAGEM

Distribua as porções em charmosas cumbucas, separadamente.

RENDIMENTO: 6 pessoas comem tranquilamente.

COSMOPOLITAN SEM ÁLCOOL

UM CLÁSSICO DA COQUETELARIA, SEM ÁLCOOL. OS *TEENS* PODEM BEBER EM GRANDE ESTILO E OS ADULTOS PODEM ENCHER A CARA E VOLTAR DIRIGINDO.

INGREDIENTES

30 ml de suco de laranja
70 ml de suco de cranberry
20 ml de suco de limão
30 ml de ***syrup*** de água e açúcar
raspas de laranja

* *Syrup* significa xarope. É uma mistura de água e açúcar, utilizada para agilizar a preparação de drinks e não deixar o açúcar granulado. Para preparar o *syrup*, use 3 colheres (sopa) de açúcar para cada 250 ml de água. Misture a água com o açúcar e leve ao fogo. Quando ferver, desligue e deixe esfriar. Mantenha na geladeira.

MODO DE FAZER

Em um copo com gelo, adicione todos os ingredientes e mexa bem. Coe e coloque em uma taça de sua preferência com pedras grandes de gelo. Decore com raspas de laranja.

RENDIMENTO: 1 taça.

DICA

Utilize açúcar colorido para decorar a borda da taça, previamente umedecida com limão ou laranja.

SUCO DE LARANJA COM PURÊ DE GROSELHA E FRAMBOESA

NÃO É TODO ADOLESCENTE QUE CURTE SUCO DE LARANJA. MAS SE DERMOS UM *UPGRADE* COM PURÊ DE FRAMBOESA E GROSELHA ELES VÃO SE AMARRAR! PODE USAR A FRAMBOESA CONGELADA PARA PREPARAR O PURÊ, É MAIS BARATO. SE A GROSELHA FRESCA ESTIVER MUITO CARA, PODE USAR O XAROPE.

INGREDIENTES

¾ de xícara de açúcar orgânico
¾ de xícara de groselha
2½ xícara de framboesa
1 dúzia de laranjas (previamente resfriadas na geladeira)

MODO DE FAZER

Prepare o purê aquecendo o açúcar, a groselha e a framboesa em uma panela por aproximadamente 10 minutos em fogo médio. Bata no liquidificador. Peneire se preferir. Espere esfriar. Faça o suco com as laranjas. Monte em duas camadas, primeiro o purê de framboesa embaixo, em seguida despeje o suco de laranja com cuidado para não misturar as camadas.

RENDIMENTO: Serve uma pequena gangue de 4 a 5 meliantes.

DICA

Se for usar canudos, que sejam biodegradáveis ou reutilizáveis, como os de inox. Verifique a embalagem antes de comprar.

PELOTA DE QUEIJO TURBINADA

BOLINHA DE QUEIJO É O CLÁSSICO DAS FESTINHAS DE CRIANÇA, MAS OS MAIS VELHOS ADORAM! É UMA DELÍCIA MAS É SEMPRE IGUAL! VOU TE ENSINAR COMO FAZER DIFERENTE! MAIS CROCANTE, COM MAIS SABOR E, DE QUEBRA, VAI COM MOLHO ROSÊ PARA ACOMPANHAR.

INGREDIENTES

PELOTA DE QUEIJO

300 g de queijo mozarela ralado
100 g de queijo provolone ralado
100 g de queijo gorgonzola ralado
1 ovo batido
½ xícara de farinha de trigo
uma pitada de noz-moscada

PARA EMPANAR

200 g de polvilho azedo (o polvilho deixa mais seco e crocante; se não tiver, pode usar a farinha de trigo mesmo)
3 a 4 ovos
200 g de farinha panko (farinha de migalhas de pão, vendida em lojinhas de produtos japoneses; se não achar, pode substituir pela farinha de rosca feita em casa ou comprada pronta)
óleo para fritar

MOLHO ROSÊ

1 caixinha de creme de leite UHT
2 colheres (sopa) de ketchup
1 colher (chá) de mostarda

1 colher (chá) de molho inglês
1 colher (chá) de suco de limão
um fio de azeite
sal e pimenta a gosto

MODO DE FAZER

Para o molho rosê, bata todos ingredientes com um batedor manual ou garfo. Reserve. Para as pelotas, misture todos ingredientes com as mãos, deixe bem compacto. Enrole as bolinhas. Empane na seguinte ordem: polvilho, ovo e farinha panko. Após empanar todas as bolinhas, deixe na geladeira por 30 minutos. Frite em óleo quente por imersão, de 5 em 5 para o óleo não esfriar. Sirva com molho rosê.

RENDIMENTO: Em torno de 30 bolinhas.

AMAZING CAKE POPS

BOLOS EM FORMA DE PIRULITOS DÃO UM VISUAL LEGAL NA FESTA E SÃO BEM GOSTOSOS. FAÇA COM CHOCOLATE DE BOA MARCA. PARA EVITAR OS CORANTES ARTIFICIAIS, SUGIRO VARIAR AS CORES UTILIZANDO DIFERENTES TIPOS DE CHOCOLATES: AO LEITE, AMARGO, BRANCO. EXISTE TAMBÉM O CHOCOLATE RUBY, QUE É NATURALMENTE ROSA. USE AÇÚCAR COLORIDO E CONFEITOS PARA DECORAR.

Vou ensinar como preparar dois tipos de *cake pops*, o de prestígio e o de bem-casado. Ambos têm a mesma técnica de preparo. Mudam apenas os ingredientes: a massa do prestígio é feita com chocolate e a do bem-casado com leite em pó. A técnica de banhar os *cake pops* no chocolate também é a mesma para o chocolate ao leite, branco, amargo ou ruby.

INGREDIENTES

MASSAS

6 ovos
1½ xícara de farinha de trigo
2 colheres (chá) de fermento em pó
3 colheres (sopa) de chocolate em pó (prestígio) ou 3 colheres (sopa) de leite em pó (bem-casado)
½ xícara de água morna
⅓ xícara de óleo
1 ⅓ xícara de açúcar

DICA

Os fermentos em pó costumam ser transgênicos pois são feitos com amido de milho modificado. Recentemente, conheci uma marca que produzia fermento feito com fécula de mandioca e que não era transgênico. Entretanto, para nossa infelicidade esse produto foi descontinuado.
Minha sugestão para substituir o fermento tradicional é usar bicarbonato de sódio misturado com cremor de tártaro, seguindo sempre a proporção de ½ colher (chá) de bicarbonato de sódio para 1 colher (chá) de cremor de tártaro.
O cremor de tártaro não é em encontrado em todos os mercados. Ele costuma ficar próximo dos temperos secos. Caso não ache, procure uma loja de produtos de confeitaria.

RECHEIO DO *CAKE POP* DE PRESTÍGIO

1 lata de leite condensado
1 xícara de coco ralado fino
1 xícara de leite de coco
1 colher (sopa) de manteiga

COBERTURA DO *CAKE POP* DE PRESTÍGIO

3 barras de aproximadamente 180 g de chocolate meio amargo para banhar

RECHEIO DO *CAKE POP* DE BEM-CASADO

1 lata de leite condensado previamente cozido (ou o doce de leite caseiro de sua preferência)
¼ de xícara de leite
½ colher (sopa) de manteiga

COBERTURA DO *CAKE POP* DE BEM-CASADO

3 barras de aproximadamente 180 g de chocolate branco para banhar

MODO DE FAZER

MASSAS

Separe as gemas das claras. Reserve. Peneire a farinha junto com o fermento. Reserve. Junte em uma tigela o chocolate em pó (ou leite em pó), a água e o óleo e misture muito bem. Reserve. Na batedeira, bata as gemas e o açúcar até ficar homogêneo. Adicione (em velocidade baixa) a farinha com fermento e a mistura de chocolate em pó com água e óleo, intercalando (se for para a massa de bem-casado, usar o leite em pó no lugar do chocolate). Reserve. Bata as claras em neve e junte delicadamente à mistura reservada. Despeje em uma assadeira retangular (30 x 40 cm) untada e asse por aproximadamente 30 minutos em forno preaquecido a 180 °C.

RECHEIOS

Coloque os ingredientes de cada recheio em panelas separadas. Leve ao fogo médio e mexa até que comecem a se soltar das laterais e também seja possível ver o fundo das panelas. Despeje em refratários separados e deixe esfriar.

DICA

Relembrando: para o prestígio você vai usar chocolate, se for o de bem-casado substitua por leite em pó.

COBERTURA E MONTAGEM DOS *CAKE POPS*

Em uma tigela, coloque a massa e amasse, quebre, esfarele bem com as mãos, sem medo! Adicione o recheio (o de coco para a massa que leva chocolate ou o de doce de leite para a massa com leite em pó). Misture bem. Pode deixar com um aspecto marmorizado de massa e recheio. Faça bolinhas do tamanho de um brigadeiro e leve ao freezer por uns 30 minutos para que fiquem com estrutura antes de receber o banho de chocolate. Enquanto as bolinhas resfriam, faça a cobertura.

Pique grosseiramente cada barra de chocolate. Separe ⅔ e coloque em recipientes separados de vidro. Leve ao micro-ondas em potência média por 30 segundos. Tire e mexa com uma espátula de silicone ou colher de pau. Repita o procedimento algumas vezes até que o chocolate esteja totalmente derretido. Incorpore o restante de cada chocolate e mexa bem. O ponto correto para banhar os *cake pops* é quando o chocolate está derretido, mas frio. Retire as bolinhas do congelador. Antes de banhá-las, passe a ponta do palito no chocolate (esse passo é para dar mais sustentação para os *cake pops*). Após esse passo, espete o palito nas bolinhas (quase congeladas!) e mergulhe imediatamente no chocolate derretido. Decore logo após salpicando coco ralado, confeitos, granulados... use sua criatividade e pire à vontade!

RENDIMENTO: 40 *cake pops* em cada receita, se forem feitos com tamanho parecido ao de um brigadeiro.

DICA

Dica: Se, ao banhar os cake pops, o chocolate ficar muito rígido, aqueça no micro-ondas em intervalos de 15 segundos, até que derreta novamente.

DESPEDIDA DE SOLTEIROS

VAI CASAR? ENTÃO VAMOS CHAMAR OS AMIGOS E CONFRATERNIZAR!

Despedida de solteiro não é nenhum adeus, é uma forma de compartilhar nossa felicidade e mostrar que vamos manter nossa galera sempre por perto!

Que tal organizar um *petit comité* e fazer receitas com um toque sacana e ingredientes afrodisíacos? Aqui tem sugestões para todos os gostos.

CHUP-CHUP

QUEM NUNCA FEZ EM CASA QUANDO CRIANÇA, NÉ? E DEPOIS DE ADULTO, COM UM TOQUE ALCOÓLICO E IRREVERENTE, FICA MAIS GOSTOSO! TENHO TRÊS RECEITAS PARA TE ENSINAR.

INGREDIENTES

CHUP-CHUP *SEX ON THE BEACH*

3 copos de suco de pêssego (600 ml)
3 copos de suco de laranja (600 ml)
1 copo de groselha (200 ml)
1½ dose de vodca (75ml)
suco de 1 limão

CHUP-CHUP *PIÑA COLADA*

1 lata de leite condensado
1 abacaxi sem casca, batido e peneirado
1 copo de água (200 ml)
1 vidro de leite de coco (200 ml)
1 dose de vodca (50 ml)

CHUP-CHUP *BLUE LAGOON*

1 lata de refrigerante de limão (aproximadamente 300 ml)
1 dose de curaçau blue (50 ml)
½ dose de vodca (25 ml)
¼ de copo de água (50 ml)
suco de 1 limão

PARA A MONTAGEM

saquinhos de geladinhos
fitas coloridas para amarrar
gelo em cubos (opcional)
gelo seco (opcional)

MODO DE FAZER

Misture os ingredientes de cada chup-chup em jarras separadas e coloque o preparo nos saquinhos. Amarre com fitas coloridas. Congele.

RENDIMENTO: Em uma despedida de solteira para 10 mulheres, todas conseguem provar pelo menos um!

DICA

Na hora de servir, se quiser conservar fora do freezer por mais tempo, monte os chup-chups em uma champanheira com gelo em cubos e gelo seco misturados.

NEGRONI NA TAÇA SEIO DE PRINCESA

UM DRINK CLÁSSICO, DE PALADAR MASCULINO, E SERVIDO NA CHARMOSA TAÇA MOLDADA À FORMA DO SEIO DA RAINHA MARIA ANTONIETA, COM HARMONIA SEXY E ATREVIDA.

INGREDIENTES

30 ml de gin
30 ml de Campari
30 ml de vermute (Martini Rosso ou Punt e Mes)
casca ou rodela de laranja
gelo

MODO DE FAZER

Coloque todos os ingredientes em uma coqueteleira ou copo e mexa com uma colher. Sirva na taça seio de princesa, com uma ou duas pedras de gelo grandes. Complemente a decoração com casca ou rodela de laranja. Saúde!

RENDIMENTO: 1 drink.

CEVICHE COM PIMENTA DEDO-DE-MOÇA, GENGIBRE, CURRY E LEITE DE COCO

CEBICHE OU CEVICHE? AMBAS AS FORMAS ESTÃO CORRETAS. "O" CEVICHE OU "A" CEVICHE? O CORRETO É "O" CEVICHE, É UMA PALAVRA MASCULINA! NO PERU, O CEVICHE É PATRIMÔNIO CULTURAL. É IMPORTANTE QUE O PEIXE ESTEJA BEM FRESCO, POR ISSO AS BOAS CEBICHERIAS NO PERU ABREM SOMENTE NO ALMOÇO. PARA AGUÇAR OS SENTIDOS E AUMENTAR A LIBIDO, VOU ENSINAR UM CEVICHE COM INGREDIENTES AFRODISÍACOS. DELÍCIA. PODE SE JOGAR!

INGREDIENTES

2 lombos de peixe fresco (gosto de usar o robalo)
1 colher (chá) de pimenta dedo-de-moça, bem picada e sem semente (quando tirar as sementes da pimenta, lave bem as mãos e não passe-as no rosto)
2 colheres (sopa) de cebola roxa, cortada em meia-lua
1 colher (chá) de gengibre bem picado
1 colher (chá) rasa de curry
2 colheres (sopa) de hortelã picada
suco de 3 limões-taiti espremidos na hora
½ xícara de leite de coco
um fio de azeite
sal a gosto
batata-doce roxa chips (ver receita na página 84)

MODO DE FAZER

Corte o peixe em cubos médios e misture com os ingredientes secos primeiro: pimenta dedo-de-moça, cebola, gengibre, curry e hortelã. Adicione o suco de limão e misture bem todos os ingredientes. Deixe o peixe cozinhar na acidez do limão por 1 a 2 minutos. Coloque o leite de coco e um fio de azeite. Sirva imediatamente.

DICA

Deixe a cebola fatiada em meia-lua de molho na água gelada para ela ficar mais crocante e menos intensa. Se quiser mais caldo no ceviche, pode usar algumas colheres dessa água quando fizer o preparo.

DICA

Quando for misturar os ingredientes, coloque umas 3 pedras de gelo grandes na tigela. O gelo vai soltar um pouco de água e ajudar a emulsionar os ingredientes, além de deixar o seu ceviche mais geladinho. Não precisa esperar derreter todo o gelo. Lembre-se de retirar as pedras de gelo antes de servir.

RENDIMENTO: Serve até 4 pessoas.

MINIBOLOVO TUNADO

TENHO DUAS LEMBRANÇAS DE BOLOVO. A PRIMEIRA É DOS BOTECOS DE RODOVIÁRIA, A OUTRA DA "PADOCA" DA PRAIA DE BAREQUEÇABA, EM SÃO SEBASTIÃO, QUANDO PARAVA LÁ DE MANHÃ VOLTANDO DA NOITADA. ERA O MELHOR CAFÉ DA MANHÃ QUE EXISTIA, PORQUE ENCHIA O ESTÔMAGO, ERA BARATO E INCRIVELMENTE GOSTOSO. PARA MELHORAR, CRIEI O MOLHO GUINDASTE, ESSE NINGUÉM TEM. É UM TIPO DE PESTO RÚSTICO QUE COMBINA OSTRA E AMENDOIM. SE LEVANTA MESMO, NÃO SEI, O QUE POSSO GARANTIR É QUE FICA GOSTOSO E TEM MUITA ENERGIA CONCENTRADA! NO MÍNIMO, VAI TE AJUDAR A DAR UM *UP* NA *PERFORMANCE*.

INGREDIENTES

MINIBOLOVO

24 ovos de codorna
800 g de alcatra moída duas vezes (pode fazer também com copa-lombo suíno)
1 colher (sopa) de mostarda
1 dente de alho ralado
1 colher (chá) de cominho
1 clara
1 pimenta dedo-de-moça bem picada (sem semente)
ervas secas a gosto
sal a gosto

MOLHO GUINDASTE

2 colheres (sopa) de óleo de canola
4 colheres (sopa) de molho de ostra (nam pla)
2 colheres (sopa) de cebolinha picada bem fininha
1 dente de alho ralado
2 colheres (chá) de gengibre bem picado
½ xícara de amendoim sem pele e torrado, bem picado
2 colheres (sopa) de molho shoyu
2 colheres (sopa) de açúcar mascavo
coentro bem picado a gosto

PARA EMPANAR

500 g de farinha de trigo
3 a 4 ovos batidos
2 xícaras de farinha panko
500 ml de óleo para fritar

MODO DE FAZER

OVOS DE CODORNA

Cozinhe os ovos de codorna por 2 minutos e meio. Retire da panela e coloque em uma vasilha com água e gelo para interromper o cozimento. Descasque-os.

MINIBOLOVO

Tempere a carne com todos os ingredientes muito bem picados. Amasse bem até ficar com uma textura homogênea. Separe uma porção de carne temperada, faça uma bola compacta, em seguida aperte bem nas mãos. Apoie um ovinho de codorna e enrole,

de maneira que o ovo de codorna fique totalmente dentro. Não pode ter furos, senão na hora de fritar vai abrir. Repita o processo com todos os ovos de codorna. Empane-os passando na farinha de trigo, no ovo e na farinha panko. Frite aos poucos, de 4 em 4, em óleo quente por imersão até dourar.

MOLHO GUINDASTE

Bata todos os ingredientes em um processador. Sirva acompanhando os minibolovos.

RENDIMENTO: 24 minibolovos.

MACARRÃO À PUTANESCA COM MANJERICÃO VERDE E ROXO

DIZ A LENDA QUE ESTE PRATO FOI CRIADO NA ITÁLIA PELAS PROSTITUTAS. EM TEMPOS DE GUERRA E ESCASSEZ DE ALIMENTOS, ENTRE UM CLIENTE E OUTRO NOS BORDÉIS, ELAS PREPARAVAM ESTA MASSA COM SOBRAS DE ALIMENTOS. UM PRATO RÁPIDO E SABOROSO. E O CHEIRO, DE TÃO BOM, ATRAÍA AINDA MAIS CLIENTES.

INGREDIENTES

MOLHO

6 dentes de alho amassados
80 g de anchova em conserva (lavar em água corrente antes de usá-las)
½ xícara de azeite de oliva
½ xícara de azeitonas verdes picadas
½ xícara de azeitonas pretas picadas
8 tomates picados sem semente
3 colheres (sopa) de alcaparras (lavar em água corrente antes de usá-las)
1 xícara de água
sal e pimenta a gosto
1 xícara de salsinha picada
queijo parmesão ralado a gosto
½ xícara de manjericão roxo fresco
½ xícara de manjericão verde fresco

MASSA

1 pacote de macarrão espaguete (de preferência grano duro)
água para cozinhar a massa
1 colher (sopa) de sal para a água do cozimento

DICA

Para que o macarrão absorva mais o molho, não coloque óleo nem azeite para cozinhar a massa, apenas sal.

DICA

Cuidado com o sal. As alcaparras, as anchovas e o parmesão são bem salgados, muitas vezes não é necessário colocar mais sal nessa receita.

SUGESTÃO DE APRESENTAÇÃO

Dentro de uma peça grande de queijo parmesão.

MODO DE FAZER

Frite o alho e as anchovas no azeite. Coloque as azeitonas e frite por mais 1 minuto. Acrescente os tomates picados, as alcaparras e a água. Leve a fervura e baixe o fogo. Deixe apurar o sabor. Enquanto isso, coloque a massa para cozinhar. No molho, adicione pimenta. Prove e verifique se há necessidade de colocar sal. Adicione ¾ da xícara de salsinha (guardar um pouco para montagem final). Em uma bonita peça de parmesão, despeje um pouco de molho no fundo, depois um pouco do espaguete, então coloque mais molho, o parmesão ralado, depois mais espaguete, mais molho, em seguida mais queijo ralado, intercalando tudo em camadas. Decore com manjericão verde e roxo, mais salsinha e mais parmesão.

RENDIMENTO: 5 porções.

DICA

Adicione um cálice (aproximadamente 50 ml) de vinho branco seco quando o molho estiver pronto. Deixe ferver até evaporar o álcool.

CALDEIRADA DE PIRANHA

CALDEIRADA DE PIRANHA... QUEM É QUE NÃO GOSTA? DIZEM QUE AS PIRANHAS DÃO UM BOM CALDO. ESTA RECEITA É CLÁSSICA DO PANTANAL, COM UM TOQUE ESPECIAL. VAMOS BOTAR PARA FERVER!

INGREDIENTES

CALDO

1 cabeça de alho sem casca amassada
3 cebolas picadas grosseiramente
3 tomates inteiros picados grosseiramente
2 colheres (sopa) de gengibre picado
3 pimentas-de-cheiro verdes
½ xícara de coentro fresco (se não gostar de coentro, substituir por salsinha)
1½ xícara de vinho branco
2 piranhas cortadas em posta
3 litros de água
sal a gosto

PARA A MONTAGEM

3 tomates concassê (sem pele e sem semente)
½ maço de cebolinha picada
1 xícara de abobrinha em cubos
200 g de macarrão (massa curta de sua preferência)

MODO DE FAZER

Coloque todos os ingredientes do caldo em uma panela de pressão em fogo médio. Quando pegar pressão, reduza o fogo e marque 30 minutos. Passado esse tempo, desligue o fogo e espere a pressão sair naturalmente antes de abrir a panela. Peneire o caldo e coloque em outra panela. Cozinhe o macarrão nessa panela que contém o caldo de piranha previamente peneirado. Quando o macarrão estiver no ponto, adicionar o tomate, a abobrinha e a cebolinha. Acerte o sal. Se preferir o caldo mais espesso, depois de pronto, volte para o fogo para reduzir.

RENDIMENTO: 8 porções.

DICA

Para manter as tradições do Pantanal, em vez da panela de pressão, utilize uma panela de barro e deixe o caldo apurar por aproximadamente 1 hora antes de peneirar.

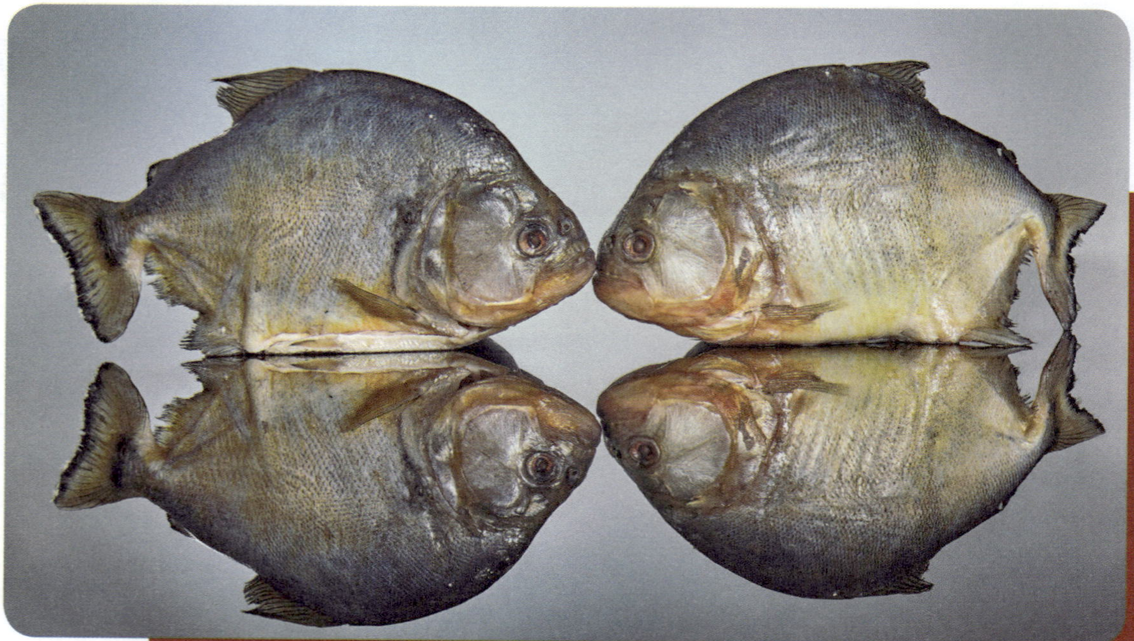

SALAME DE CHOCOLATE COM BACON

ESTA RECEITA É EXCLUSIVA PARA QUEM GOSTA DE SABOREAR UM BOM SALAME. MELHOR DO QUE O DO SEU ZÉ DA MERCEARIA. NÃO IMPORTA O QUANTO RENDE, O QUE CONTA MESMO É O SABOR. E QUEM PROVA FICA DE "BACON A VIDA"!

INGREDIENTES

MASSA DOCE BÁSICA

150 g de manteiga gelada em cubos
¾ de xícara de açúcar
2¼ de xícara de farinha de trigo
uma pitada de sal
1 ovo

MASSA DO SALAME

1 xícara de amêndoas
1 xícara de leite condensado
2 xícaras de chocolate em pó
2 xícaras de cacau em pó
3 colheres (sopa) de conhaque
300 g de manteiga em temperatura ambiente

BACON CROCANTE

¾ de xícara de bacon picado em pedaços muito pequenos

PARA A MONTAGEM

açúcar de confeiteiro a gosto

DICA

Qual a diferença entre cacau em pó, chocolate em pó e achocolatado instantâneo? Quando uma receita se refere ao cacau 100%, consideramos que é sem adição de açúcar. O sabor é mais amargo e intenso, são as sementes do cacau moídas depois de secas e torradas.
O chocolate é uma mistura de cacau com açúcar. Alguns chocolates são mais doces, outros menos. No Brasil, os chocolates em pó costumam ter pelo menos 32% de cacau. Quanto mais cacau tiver, mais nobre e menos doce é o chocolate.
Os achocolatados solúveis, além do cacau, costumam ter maior concentração de açúcar e outras substâncias.

MODO DE FAZER

BACON

Frite o bacon bem picadinho em frigideira antiaderente até que esteja crocante (não é necessário colocar óleo). Coloque em recipiente com papel-toalha e espere esfriar. Tem que secar bem a gordura.

MASSA DOCE

Em uma tigela, junte a manteiga gelada picada e o açúcar. Misture bem até que fique homogêneo. Pode usar as mãos. Adicione a farinha de trigo e o sal, mexa até ficar parecendo uma farofa. Adicione o ovo e mexa até que esteja completamente misturado. Enrole em um filme de PVC e leve à geladeira por 2 horas para deixar firme. Abra a massa em uma superfície lisa com o auxílio de um rolo até que fique com 0,5 cm de espessura. Coloque em uma assadeira. Leve ao forno preaquecido a 180 °C por aproximadamente 20 minutos ou até que a massa esteja assada e com aspecto dourado. Espere esfriar e quebre a massa em pedaços irregulares.

MASSA DO SALAME

Coloque as amêndoas em uma assadeira de forma que fiquem bem espalhadas. Asse em forno preaquecido a 160 °C por 15 a 20 minutos, ou até que fiquem tostadas. Após esfriar, pique-as grosseiramente.
Em um *bowl*, misture todos os ingredientes da massa do salame: leite condensado, chocolate, cacau, conhaque, manteiga e as amêndoas tostadas e picadas.

FINALIZAÇÃO

Em uma tigela grande, coloque a massa doce triturada e a massa do salame e misture tudo. Junte o bacon. Misture até formar uma massa uniforme, porém mantendo pedaços visíveis de massa doce quebrada. Separe a massa em 4 partes iguais. Faça rolos da espessura de um salame italiano (aproximadamente 5 cm de diâmetro). Enrole em filme de PVC. Coloque no freezer por aproximadamente 1 hora ou até que esteja rígido para o corte.
Em seguida, remova o filme de PVC.

PARA A MONTAGEM

Corte em fatias e sirva em uma tábua de madeira com o açúcar de confeiteiro polvilhado. Parece um salame de verdade!

RENDIMENTO: Depende do tamanho que você fizer. Em geral, 4 salames.

DICA

Se quiser simplificar o preparo do salame de chocolate, em vez de preparar a massa doce, faça com o seu biscoito favorito, quebrado grosseiramente.

NOITE DE JOGOS

PÔQUER, CARTAS E TABULEIRO

Para quem gosta de uma noite de jogatina, seja valendo dinheiro, a roupa ou apostando a sogra, passar esse tempo com os amigos sempre requer um bom aperitivo.

É excelente para acompanhar o jogo e não deixar ninguém muito bêbado (e pobre).

Aqui vão algumas sugestões de *snacks* para comer com uma mão, já que a outra vai estar ocupada com as cartas.

Mas, se você não gosta de jogar, também vai apreciar.

MARTINI DAMA DE OURO

MULHERES QUASE SEMPRE SÃO MINORIA NAS MESAS DE JOGOS, MAS QUANDO PARTICIPAM, FICA ESPERTO, *MY FRIEND*! NATURALMENTE ELEGANTES E CHARMOSAS, ELAS MERECEM SER TRATADAS COMO DAMAS QUE SÃO. ENTÃO, QUE TAL PREPARAR UM DRINK ESPECIAL PARA ELAS?

INGREDIENTES

50 ml de *syrup* (ver p. 48) de água e açúcar
100 ml de saquê
5 cubos grandes de melancia
3 cubos grandes de gelo

PARA DECORAR

1 pétala de rosa orgânica para decorar (se a rosa não for orgânica, não é comestível)
uma pitada de pó de ouro comestível (opcional)

MODO DE FAZER

Em uma coqueteleira, coloque todos os ingredientes. Feche e bata bem. Sirva em uma taça martini com a pétala de rosa em um canto e polvilhe o pó de ouro.

RENDIMENTO: 1 drink.

ZAP DRINK

DRINK INTENSO. DUAS CAMADAS. DUAS TONALIDADES QUE, QUANDO MISTURADAS, VIRAM UMA ÚNICA COR ESCURA. FEITO ESPECIALMENTE PARA A DUPLA QUE PERDER A RODADA. TEM QUE VIRAR NUMA TALAGADA SÓ. COM ESTE DRINK, TODO MUNDO VAI QUERER PERDER A RODADA. TRUCO, LADRÃO!

INGREDIENTES

4 doses de curaçau blue (200 ml)
2 doses de vodca (100 ml)
2 latas de refrigerante sabor limão bem gelados ou água com gás
4 limões espremidos
calda de amora a gosto (ver receita ao lado)
gelo em cubos

CALDA DE AMORA COM VODCA

1½ xícara de amora
2 colheres (sopa) de açúcar
1 dose de vodca (50 ml)

DICA

Para fazer calda, as amoras podem ser congeladas, já que são mais baratas do que as frescas e, como vão ao fogo, não se nota diferença no sabor.

MODO DE FAZER

CALDA DE AMORA COM VODCA

Coloque as amoras picadas grosseiramente com o açúcar em uma panela. Cozinhe em fogo baixo por aproximadamente 5 minutos. Bata no liquidificador. Coe em uma peneira. Adicione a vodca. Mexa bem. Coloque na geladeira até resfriar totalmente.

PARA PREPARO DO DRINK

Em uma jarra grande com gelo coloque o curaçau blue, a vodca, o refrigerante de limão e o suco dos limões espremidos. Misture devagar para não tirar o gás do drink.

PARA MONTAGEM DO DRINK

Escolha 4 copos grandes e coloque cubos de gelo à vontade. Despeje o drink que foi preparado na jarra. Coloque igualmente a calda de amora com vodca em todos os drinks.

RENDIMENTO: 4 drinks.

DICA

Deguste o drink antes de colocar a calda de amora. Com e sem a calda, as experiências são bem diferentes.

MIX DE CASTANHAS TOSTADAS E CARAMELIZADAS

FÁCIL DE FAZER, O MIX DE CASTANHAS É GOSTOSO, NUTRITIVO, DÁ UMA TAPEADA NA FOME E ENERGIA PARA FICAR LIGADO NAS JOGADAS. ISTO SIM É IMPOSSÍVEL DE COMER UM SÓ! PARA COMER COM UMA MÃO, POIS A OUTRA VAI RECOLHER AS FICHAS DA VITÓRIA! TE DESEJO MUITA SORTE!

Para qualquer castanha, você pode usar a mesma receita. Fica muito gostoso diversificar um pouco. Pode usar nozes, avelãs, amêndoas, castanha-de-caju, castanhas-do-pará, macadâmias, castanhas de baru... O importante é que sejam tostadas adequadamente no forno antes de caramelizá-las. Quanto às especiarias, podem ser usadas páprica, curry, *lemon-pepper* ou *mix* de pimentas... Escolha a que você mais gosta!

INGREDIENTES

3 xícaras de castanhas de sua preferência (melhor que sejam sem casca)
¾ de xícara de água
1 ⅔ xícara de açúcar (prefiro açúcar orgânico)
2 colheres (chá) de especiarias

MODO DE FAZER

Todas as castanhas passam pelo mesmo processo. Algumas castanhas precisam de mais ou menos tempo de forno. Fazer o tempero mais ou menos intenso também fica ao seu critério.
Asse-as em forno preaquecido a 160 °C por 15 a 20 minutos ou até que estejam com aspecto mais dourado. Sugiro abrir o forno rapidamente após 10 minutos, dar uma mexida nas castanhas e voltar para o forno. Cuidado pra não torrar demais! Depois de prontas, espere esfriar totalmente. Depois de frias, devem estar crocantes. Para caramelizar, em uma panela, coloque a água e o açúcar. Deixe em fogo médio até atingir 121 °C (calma, se não tiver termômetro, veja a dica ao lado). Despeje as especiarias na calda e logo em seguida as castanhas. Mexa preferencialmente com colher de pau até que a calda comece a ficar açucarada. Pode tirar do fogo e mexer mais um pouco para as castanhas desgrudarem umas das outras. Cuidado para não queimar as mãos! Coloque em uma assadeira e deixe esfriar.

RENDIMENTO: 4 porções.

DICA

Para quem não tem termômetro, *no stress*! Faça um teste mergulhando a cabeça de um garfo na calda. Com o garfo apontando para baixo, assopre devagar. Quando formar bolhas espessas, está no ponto perfeito!

CHIPS CASEIROS

UNS BONS CHIPS TÊM QUE SER MUITO CROCANTES. SE TIVER ALGUÉM POR PERTO, TEM QUE SE ASSUSTAR COM O SOM DA MORDIDA. GOSTOSO, CROCANTE E BARULHENTO. DO CONTRÁRIO, NÃO SÃO CHIPS DE VERDADE!

INGREDIENTES

Batata asterix, batata-doce, mandioquinha e batata-doce roxa. À vontade! Qual desses vegetais você mais gosta?

DICA

Com a faca é um pouco mais difícil conseguir a precisão de corte desejada, de 1 a 2 mm. O ideal é usar um fatiador de legumes, também conhecido por **mandolina**. POR FAVOR, CUIDADO COM OS DEDOS!

MODO DE FAZER

Esta receita serve para batata-doce roxa, mandioquinha, batata-doce e batata asterix. Gosto de fazer os chips com casca, rústicos; é mais rápido e acho mais gostoso. Limpe a casca, passando as batatas e a mandioquinha rapidamente em água fria para tirar a terra. Fatie longitudinalmente, bem fino, com espessura de 1 a 2 mm. Lave duas ou três vezes, até sair o amido. Você vai perceber que a água fica um pouco branca e depois vai clareando. Seque bem com papel-toalha. Leve ao forno sobre papel-manteiga a uma temperatura de 60 °C por 10 a 15 minutos. Se o seu forno não atingir uma temperatura baixa assim, deixe a porta entreaberta. Esse processo é para secar, não é para assar. Depois disso, frite-os em óleo quente e deixe escorrer bem em papel absorvente. Nunca empilhe os chips um em cima do outro. Para conservar, mantenha em recipiente em temperatura ambiente livre de umidade.

RENDIMENTO: Depende da quantidade de batata que você quer usar e do quanto você gosta de chips! Em média, 1 batata serve 1 pessoa.

PIRULITOS DE CORDEIRO DE LEITE COM GELEIA CASEIRA DE HORTELÃ E MAÇÃ VERDE

QUANDO FOR AO AÇOUGUE, PEÇA A COSTELETA DE CORDEIRO DE LEITE OU CARRÉ CURTO DE OVINO. É MENOR E MAIS MACIA DO QUE O CARRÉ TRADICIONAL. FICA BEM MAIS FÁCIL PARA PEGAR COM UMA MÃO SÓ. PRESTE ATENÇÃO, SEU FANFARRÃO DA JOGATINA: NADA DE LAMBUZAR AS CARTAS!

INGREDIENTES

GELEIA

3 maçãs verdes sem casca e sem semente
suco de 1 limão-taiti
1½ xícara de açúcar
300 ml de água
1 maço pequeno de hortelã picado
um fio de azeite
sal grosso a gosto
mix de pimentas a gosto

CORDEIRO

18 costeletas de cordeiro de leite
1 cebola picada
3 dentes de alho picados grosseiramente
1 xícara de vinho branco
alecrim a gosto
½ limão espremido
azeite para grelhar

MODO DE FAZER

GELEIA

Coloque as maçãs, o suco de limão, o açúcar e a água em uma panela, leve ao fogo baixo por 30 minutos ou até que a mistura esteja bem reduzida. Tire do fogo, incorpore 1 fio de azeite e a hortelã. Tempere com uma pitada de sal e o mix de pimentas. Misture bem. Espere esfriar.

CORDEIRO

Tempere as costeletas com a cebola, o alho, o vinho branco, o limão e o alecrim. Marine por pelo menos 1 hora na geladeira. Tire da marinada e escorra o excesso. Grelhe na churrasqueira ou na frigideira em fogo bem forte com um fio de azeite por 1 minuto de cada lado. O ponto perfeito do cordeiro é rosado no centro. Sirva com a geleia.

RENDIMENTO: 18 unidades.

XEQUE-MATE

FROZEN DE CHÁ-MATE COM MARACUJÁ, REDUÇÃO DE AÇAÍ E PÓ DE GUARANÁ

FROZEN **REFRESCANTE, PREPARADO COM BASTANTE CAFEÍNA PARA AUMENTAR A CONCENTRAÇÃO, MAS TAMBÉM TEM MARACUJÁ PARA MANTER A CALMA E FAZER AQUELA JOGADA DE MESTRE. XEQUE-MATE!**

INGREDIENTES

GELO DE CHÁ-MATE

4 xícaras de água
6 sachês de chá-mate

REDUÇÃO DO AÇAÍ

1 pote de açaí

DRINK XEQUE-MATE

6 xícaras de chá-mate gelado
½ lata de leite condensado
2 maracujás frescos e maduros (somente polpa, sem a casca)
1 colher (chá) de pó de guaraná
gelos de chá-mate a gosto
sementes de maracujá para decorar (opcional)

MODO DE FAZER

GELO DE CHÁ-MATE

Prepare o gelo de chá-mate na véspera. Ferva a água, desligue o fogo e deixe os sachês de chá-mate em infusão por 5 minutos. Coloque em formas de gelo e leve ao freezer.

REDUÇÃO DO AÇAÍ

Coloque o açaí em uma panela e leve ao fogo para ferver até reduzir 80% e ficar com textura de calda.

DRINK XEQUE-MATE

No liquidificador, coloque o chá-mate, o leite condensado, o maracujá, o pó de guaraná e os cubos de gelo de chá-mate. Bata utilizando o modo pulsar até ficar na textura *frozen*. Decore com as sementes de maracujá (opcional).

RENDIMENTO: 5 copos, mas se colocar em copos pequenos para tomar em um só trago, pode render vários!

BOURBON BALLS COM CAFÉ

AS *BOURBON BALLS* SE POPULARIZARAM NOS EUA NA DÉCADA DE 1930 E SÃO FEITAS COM *BOURBON WHISKEY*, QUE É UM UÍSQUE TÍPICO AMERICANO COM UM MÍNIMO DE 51% DE MILHO. COMO AS BOLINHAS NÃO SÃO ASSADAS NEM COZIDAS, MAS PREPARADAS EM TEMPERATURA AMBIENTE, O ÁLCOOL NÃO EVAPORA E FICA CONCENTRADO NAS BOLINHAS DE CHOCOLATE. SÃO BONITINHAS MAS PERIGOSAS. PARA COMER ESCONDIDO DAS CRIANÇAS E TOMAR CUIDADO COM A LEI SECA. PAPO SÉRIO! ESTAS PELOTAS HARMONIZAM MUITO BEM COM UM CÁLICE DE JACK DANIELS GELADO. NA NOSSA RECEITA VAI UM POUCO DE CAFÉ PARA DEIXAR TODOS MAIS LIGADOS. AGORA VAI SUBIR O NÍVEL DO JOGO... FAÇAM SUAS APOSTAS!

INGREDIENTES

1 colher (chá) de café solúvel
50 ml de *bourbon whiskey*
3 xícaras de cookies ou biscoitos de baunilha
1 xícara de nozes tostadas e picadas
1 colher (sopa) de açúcar
1 colher (sopa) de cacau em pó
1 colher (sopa) de xarope de bordo

PARA DECORAR

Algumas sugestões de decoração são amêndoas laminadas, pistache sem casca triturado, xerém de castanha-de-caju, cacau em pó... Use a imaginação! Pode também banhar no chocolate.

MODO DE PREPARO

Dilua o café solúvel no *bourbon whiskey*. Reserve. Em um processador, triture os cookies e as nozes. Em um recipiente misture o açúcar, o cacau, os cookies e as nozes trituradas. Adicione agora os líquidos: o uísque com café e o xarope de bordo. Misture bem com as mãos até que fique uma massa compacta e homogênea. Dependendo do cookie ou biscoito que você usar, pode ser que você precise colocar um pouco mais de *maple syrup* para dar a liga. Coloque na geladeira por pelo menos 2 horas. Enrole as *Bourbon balls* e passe na decoração de sua preferência. *Good luck, my friend!*

RENDIMENTO: *About* 30 *balls, right!?*

DICA

Esta receita é excelente para reaproveitar os pacotes de biscoitos que ficam abertos dentro do armário sem destino.

ENCONTRO ROMÂNTICO

COM SABORES DE DOCES A PICANTES

Quer conquistar aquela pessoa especial? Voltar com seu amor? Comemorar o Dia dos Namorados sem pegar fila nos restaurantes? Esta seção vai deixar tudo mais fácil.

E para dar uma força, preparei receitas especiais. A comida é fundamental para um encontro romântico, pois pode trazer toques doces ou picantes para sua noite.

Criei receitas bem gostosas com ingredientes sedutores, mas lembre-se de adiantar todo o preparo da receita para não ficar só no fogão e se esquecer do objetivo principal.

Depois de preparar os românticos pratos, a simpatia de trazer a pessoa amada em 7 dias já era! Basta um delicioso jantar e uma noite daquelas!

Fico aqui torcendo por você!

SEX APPEAL

REDUTOR DE TIMIDEZ. RELAXA E DEIXA A CONVERSA MAIS GOSTOSA. DRINK DELICIOSO, AGUÇA OS SENTIDOS E ABRE O APETITE.

INGREDIENTES

1 garrafa de vinho branco
2 doses de licor de laranja (100 ml)
sementes de 1 romã cortada ao meio
1 pera cortada em cubos pequenos
1 maçã cortada em cubos pequenos
¼ de abacaxi cortado em cubos pequenos
3 rodelas de laranja
12 morangos cortados em 4 pedaços
1 copo de suco de cranberry
hortelã a gosto
manjericão a gosto
alecrim a gosto
gelo a gosto

MODO DE FAZER

O preparo é muito simples! Basta colocar todos os ingredientes em uma bonita jarra, misturar rapidamente e servir em charmosas taças.

RENDIMENTO: Um casal animadinho. Ou um "casal de 3". ☺

CHERRIE

ESPUMANTE COM CEREJA AO MARASQUINO

BONITO E ELEGANTE. A CEREJA DÁ UM TOQUE ESPECIAL E AGRADA A MAIORIA. TAMBÉM PODE USAR UM MORANGO CORTADO AO MEIO. AS BOLHAS LIBERADAS PELO ESPUMANTE CONFEREM LEVEZA AO DRINK. É UM DRINK DE BOAS-VINDAS PARA SURPREENDER COM DOÇURA E SUTILEZA.

INGREDIENTES

1 garrafa de espumante
8 unidades de cereja ao marasquino
1 colher (café) da calda da própria cereja marasquino para cada taça
raspas de limão

MODO DE PREPARO

Coloque a calda e adicione uma cereja no fundo da taça. Complete com o espumante à vontade. Decore com as raspas de limão.

RENDIMENTO: 1 garrafa de espumante rende aproximadamente 8 taças.

SALADA DE RÚCULA COM PÉTALAS DE FLORES ORGÂNICAS

QUEM NÃO CURTE UMA "SALADENHA"? SABE AQUELE ENCONTRO QUE APARECEU DE ÚLTIMA HORA E PRECISA DE UM PRATO VERSÁTIL? ESCOLHA UM GRELHADO PARA SERVIR COM ESTA SALADA. A PICÂNCIA DA RÚCULA, A DOÇURA E A ACIDEZ DOS MOLHOS E A CROCÂNCIA DAS NOZES VÃO DEIXAR SUA *NIGHT* COMPLETA.

INGREDIENTES

REDUÇÃO DE BALSÂMICO

250 ml de vinagre balsâmico
2½ colheres (sopa) de açúcar

MOLHO DE MEL E LIMÃO

1 xícara de azeite
suco de 2 limões-taiti
8 colheres (sopa) de mel
sal a gosto
pimenta-do-reino preta moída a gosto

SALADA

1 maço pequeno de folhas de rúcula higienizadas (de preferência orgânicas)
nozes a gosto

PARA DECORAR (OPCIONAL)

Miniflores orgânicas comestíveis (vendidas em alguns empórios gastronômicos)

MODO DE FAZER

REDUÇÃO DE BALSÂMICO

Misture o balsâmico e o açúcar em uma panela. Leve ao fogo baixo até reduzir aproximadamente a ¼ do volume original. Mantenha em pote de vidro ou bisnaga em temperatura ambiente.

MOLHO DE AZEITE E LIMÃO

Misture todos os ingredientes com um batedor manual ou no liquidificador por 20 segundos para emulsionar. Tempere com sal e pimenta.

PARA A MONTAGEM

Em um recipiente, tempere as folhas de rúcula com o molho de azeite, mel e limão. Coloque a salada no seu prato preferido e regue com a redução de balsâmico. Sirva com nozes e pétalas de flores comestíveis. Se preferir, sirva os molhos à parte.

RENDIMENTO: Serve 1 casal.

DICA

Um bom parmesão ralado fica delicioso com essa salada!

RISOTO ROSA DE BETERRABA COM MAÇÃ E GORGONZOLA

A BETERRABA CONFERE COR ROSA E DEIXA O PRATO SEXY E FEMININO. GORGONZOLA É ATITUDE E FORÇA. MEL E LICOR DE AMÊNDOAS, DOÇURA. A MAÇÃ? AJUDA A NÃO RESISTIR AO PECADO! A NOITE VAI SER BOOOA... BOA!

INGREDIENTES

CALDO DE LEGUMES NATURAL

um fio de azeite
½ salsão
1 cebola
½ alho-poró
2 litros de água

CALDO DE BETERRABA

1 beterraba média (aproximadamente 300 g)

CHIPS DE MAÇÃ

1 maçã
óleo ou azeite para fritar
farinha de trigo para empanar

RISOTO

½ cebola bem picada
1 colher (sopa) de azeite
2 colheres (sopa) de manteiga integral sem sal
150 g de arroz arbóreo
¾ de xícara de vinho branco seco
350 ml de caldo de legumes (aproximadamente)
70 ml de caldo de beterraba
sal e pimenta a gosto

PARA A FINALIZAÇÃO

½ xícara de queijo gorgonzola
1 colher (sopa) de licor de amêndoas
1 colher (sopa) de manteiga integral sem sal gelada
2 colheres (sopa) rasas de mel

MODO DE FAZER

CALDO DE LEGUMES

Pique grosseiramente os ingredientes. Leve a panela ao fogo médio, coloque o azeite, o salsão, a cebola, o alho-poró e refogue rapidamente. Adicione a água. Quando começar a ferver, reduza o fogo e cozinhe por mais 20 minutos. Desligue o fogo. Coe. Reserve.

CALDO DE BETERRABA

Descasque a beterraba e bata no liquidificador com uma concha do caldo de legumes frio. Coe. Reserve.

CHIPS DE MAÇÃ

Com a ajuda de uma mandolina, fatie a maçã bem fina. Se não tiver esse fatiador de legumes, pode usar uma faca. Empane as fatias com farinha de trigo e frite em óleo ou azeite quente até ficarem levemente douradas. Coloque em uma travessa sobre papel-toalha para retirar o excesso de óleo.

RISOTO

Refogue a cebola picada com o azeite e a manteiga. Adicione o arroz arbóreo e mexa até que o grão comece a ficar cristalino. Acrescente o vinho branco e espere reduzir até quase evaporar todo o líquido. Agregue o caldo de legumes aos poucos e siga mexendo constantemente. Continue colocando o caldo de legumes aos poucos até que o arroz esteja quase cozido. Nesse momento, junte o caldo da beterraba e continue mexendo. Acrescente o gorgonzola e desligue o fogo. Prove e tempere com sal e pimenta, se necessário. Adicione o licor de amêndoas e a manteiga gelada. Regue cada prato com um pouco de mel.

RENDIMENTO: serve bem 2 pessoas.

TACINHA DE MOUSSE DE QUEIJO BRIE COM GELEIA DE ROSAS E FAROFINHA DE CASTANHAS COM CANELA

DIZEM QUE NOS PEQUENOS FRASCOS É QUE ESTÃO OS EXCELENTES PERFUMES. ESSE PRATO É NA VERDADE UMA ENTRADINHA PARA SER DEGUSTADA LENTAMENTE, COM PRAZER, PARA PERCEBER AS NUANCES E O CONTRASTE DO SALGADO COM O DOCE, A ESPECIARIA E A TEXTURA CROCANTE DA MACADÂMIA E DA FAROFA. ALIÁS, QUE TAL TROCAR O BUQUÊ DE ROSAS POR ESSA MOUSSE DE ROSAS? COMO MODESTO COZINHEIRO, POSSO AFIRMAR QUE A CONQUISTA PELO PALADAR É BEM MARCANTE.

INGREDIENTES

MOUSSE DE BRIE

300 g de queijo brie picado
100 ml de leite integral
150 ml de creme de leite
sal e pimenta-do-reino a gosto
geleia de rosas a gosto (é comum encontrar em empórios árabes)
macadâmias a gosto

FAROFINHA DE CASTANHAS COM CANELA

½ xícara de castanha-de-caju
1 colher (café) de açúcar mascavo
uma pitada de canela em pó
uma pitada de sal e pimenta (opcional)

SUGESTÃO DE DECORAÇÃO

pétalas de rosas colombianas espalhadas pela mesa

MODO DE FAZER

MOUSSE DE QUEIJO BRIE

Coloque todos os ingredientes em uma panela. Cozinhe em fogo baixo até que todo o queijo derreta, mexendo de vez em quando. Bata tudo no liquidificador. Passe em uma peneira para deixar a mousse mais lisa.

FAROFINHA DE CASTANHAS COM CANELA

Triture a castanha-de-caju aos poucos no modo pulsar do liquidificador até virar farofa. Misture o açúcar mascavo e a canela. Coloque em uma frigideira antiaderente e mexa com uma espátula sem parar, em fogo médio, até ficar ligeiramente tostada. Tempere com sal e pimenta a gosto. Deixe esfriar. Agora sim está crocante!

PARA A MONTAGEM

Em um copo pequeno, coloque camadas intercalando a geleia de rosas, as macadâmias, a mousse de queijo *brie* e polvilhe com a farofinha de castanhas com canela. Solte as pétalas da rosa colombiana e espalhe-as pela mesa.

RENDIMENTO: 10 unidades em pequenos copos.

SALMÃO AO MOLHO DE FRUTAS VERMELHAS COM GENGIBRE E PURÊ DE BATATAS CREMOSO

A MAIORIA DAS MULHERES ADORA UM SALMÃOZINHO! COMBINADO COM O MOLHO DE FRUTAS VERMELHAS E NOTAS DO GENGIBRE, VAI DEIXAR ESSE ENCONTRO ROMÂNTICO COM UM TOQUE DE MALÍCIA. ESSA RECEITA É CERTEIRA, BEM MELHOR QUE PASSAR ANOS REZANDO PARA SANTO ANTÔNIO!

INGREDIENTES

MOLHO DE FRUTAS VERMELHAS

1 xícara de frutas vermelhas bem picadas (minha sugestão é usar partes iguais de morango, amora e framboesa)
2 colheres (sopa) rasas de açúcar
1 colher (chá) rasa de gengibre bem picado (sem casca)
1 copo de caldo de legumes (aproximadamente 200 ml)
2 colheres (sopa) de vinagre de framboesa
um fio de azeite
sal e pimenta-do-reino a gosto

PURÊ DE BATATAS

250 g de batata asterix (equivale a umas 3 batatas médias)
2 colheres (sopa) de manteiga integral sem sal
¼ de caixinha de creme de leite (50 g)
sal e pimenta-do-reino a gosto

SALMÃO

2 postas de salmão
sal e pimenta-do-reino a gosto

MODO DE FAZER

MOLHO DE FRUTAS VERMELHAS

Em uma panela pequena, misture as frutas vermelhas picadas e o açúcar. Cozinhe por 5 minutos em fogo baixo. Incorpore o gengibre, o caldo de legumes e o vinagre de framboesa em uma panela e cozinhe por aproximadamente 15 minutos em fogo baixo (ou até reduzir em ⅓). Bata os ingredientes no liquidificador e peneire. Volte para a panela, tempere com sal e pimenta, coloque um fio de azeite. Veja se o molho está com uma consistência agradável para seu paladar. Se ainda estiver ralo, volte para o fogo mais uns minutinhos até que fique mais espesso. E se estiver muito encorpado, coloque um pouco mais de caldo de legumes para ficar mais leve e sedoso. Você escolhe o ponto de seu molho! ☺

PURÊ DE BATATAS

Descasque e corte a batata em pedaços uniformes. Coloque em uma panela com água fria e sal a gosto. Cozinhe as batatas até ficarem macias. Ainda quentes, passe as batatas cozidas por um espremedor e reserve. Coloque a manteiga e o creme de leite em uma panela limpa e leve ao fogo para derreterem em fogo baixo. Adicione as batatas espremidas. Volte ao fogo, mexendo sempre com um batedor manual ou garfo, até conseguir uma textura lisa. Tempere com sal e pimenta.

SALMÃO

Em uma frigideira antiaderente, coloque um pouco de azeite e espere aquecer bem. Grelhe as postas de salmão por 1 minuto de cada lado. Gosto de servir esse prato com o salmão cru no centro, mas se preferir mais cozido, após grelhar, leve imediatamente ao forno até chegar no seu ponto preferido.

PARA A MONTAGEM

Surpreenda! O molho pode ir por baixo ou por cima. Escolha sua posição preferida, afinal o que importa é o prazer de degustar.

RENDIMENTO: serve 1 casal.

AFRODITE CAKE

A BASE DESTA RECEITA VEM DO CLÁSSICO *RED VELVET*. É UM BOLO TÃO GOSTOSO E TÃO SEXY QUE A MONTAGEM DELE É CONHECIDA POR *NAKED CAKE*, OU SEJA, BOLO DESPIDO. NÃO É O BOLO DA VOVÓ. BATIZADO DE AFRODITE, A DEUSA DO AMOR, FOI CRIADO PARA ADOÇAR A RELAÇÃO. SEDUÇÃO E IMAGINAÇÃO CAMINHAM JUNTAS. NADA DE SERVIR ESTE BOLO DE FORMA CARETA! COMA COM AS MÃOS, TAMPE OS OLHOS DE SEU AMOR, DÊ EM SUA BOCA... DAQUI EM DIANTE, É COM VOCÊ!

INGREDIENTES

BUTTERMILK

2 xícaras de leite integral
2 colheres (sopa) de vinagre de framboesa

MASSA

250 g de manteiga
2 xícaras de açúcar
3 ovos
3 colheres (sopa) de vinagre de framboesa
2 colheres (sopa) de corante em gel na cor vermelha
1 colher (café) de extrato de baunilha
3½ xícaras de farinha de trigo
3 colheres (sopa) de chocolate em pó
uma pitada de sal
1 colher (chá) de bicarbonato

DICA

Se o pistache estiver caro, pode substituir por castanha-de-caju sem sal ou alguma outra castanha de valor mais acessível.

RECHEIO

5 gemas
¼ de xícara de açúcar
3 colheres (sopa) de amido de milho
1 fava de baunilha
2 xícaras de leite integral
6 a 8 morangos picados (para a montagem)
¾ de xícara de pistache torrado e picado (sem casca)

DICA

Se não tiver vinagre de framboesa, pode usar vinagre de maçã ou de vinho, mas o vinagre de framboesa confere um sabor especial ao bolo.

MODO DE FAZER

BUTTERMILK

Misture o leite e o vinagre de framboesa em uma tigela e deixar descansar por 15 minutos em temperatura ambiente. Essa mistura vai talhar. Reserve para o preparo da massa.

MASSA

Bata a manteiga e o açúcar em uma batedeira até que fique homogêneo e forme uma pasta. Adicione os ovos, um a um, e deixe que misture bem. Adicione o vinagre de framboesa, o corante vermelho em gel e o extrato de baunilha. Agora coloque os secos (a farinha, o chocolate em pó, o sal e o bicarbonato), que sugiro peneirar previamente em um recipiente. Intercale adicionando na batedeira os ingredientes secos e o *buttermilk*. Coloque pouco a pouco até misturar tudo muito bem. Despeje a massa em uma assadeira de 30 x 40 cm já untada com manteiga e polvilhada com farinha. Leve ao forno preaquecido a 180 °C por aproximadamente 45 minutos. Tire do forno e desenforme ainda quente. Espere esfriar.

RECHEIO

Em uma tigela, misture as gemas e o açúcar. Bata bem com um batedor manual. Adicione o amido e bata novamente. Reserve. Retire as sementes da fava de baunilha abrindo na longitudinal com a ajuda de uma pequena faca. Coloque no leite e leve ao fogo. Quando estiver morno, coloque metade do leite aos poucos na tigela com a mistura de gemas, amido e açúcar. Mexa sem parar. Quando estiver homogêneo, volte essa mistura para a panela com o restante do leite e volte ao fogo médio, mexendo sempre. Após ferver e engrossar, mexa por mais 1 minuto e coloque em um refratário. Tampe com filme de PVC encostando no creme para que não forme uma película na superfície. Espere esfriar e leve à geladeira por 2 horas, ou até que fique consistente.

PARA A MONTAGEM

Você pode usar um aro ou faca para cortar o bolo no formato que preferir. Retire uma tampa para que fique nivelado. O bolo deverá ter duas camadas de recheio e três camadas de massa de bolo. Entre cada camada de bolo, coloque um pouco do creme, os morangos picados no centro e pistache tostado. Guarde recheio e alguns morangos para fazer uma bonita decoração na cobertura. Polvilhe com açúcar de confeiteiro.

DICA

Evite o desperdício! Com a tampa retirada do bolo para fazer montagem, você pode usar para fazer *cake pops* (página 54) ou Bourbon *balls* (página 90).

RENDIMENTO: 6 a 8 pedaços.

PETIT COMITÉ SAUDÁVEL

SEM SER RADICAL

Não importa qual seja o seu convívio social, certamente você conhece alguém que vive fazendo dieta ou que é vegetariano, ou que tem restrições a lácteos, glúten, açúcar... Talvez essa pessoa seja você mesmo! Pensando nisso, o que eu mais gostaria de propor nessa parte do livro é uma reflexão que vai além da gastronomia light, com poucas calorias.

O BRASIL É O MAIOR CONSUMIDOR DE AGROTÓXICOS DO MUNDO, sendo que 30% deles são proibidos na União Europeia há mais de uma década. Sou otimista e acredito que o futuro da gastronomia está, sim, caminhando para uma cozinha consciente, com mais sustentabilidade e menos defensivos agrícolas.

Por isso, nós precisamos valorizar os produtores que cultivam alimentos orgânicos e biodinâmicos, que produzem com amor, rastreabilidade e respeito aos trabalhadores.
O melhor produto para a sua saúde nem sempre é o mais barato da gôndola do mercado, justamente porque o produtor artesanal não tem escala em sua produção.
Tenho o privilégio de ter uma pequena horta orgânica em casa, sem nada de agrotóxicos. O sabor é diferente, a energia é superespecial.

Aliás, você sabe qual a diferença entre alimentos orgânicos e biodinâmicos? Os orgânicos são cultivados sem uso de agrotóxicos e sem fertilizantes sintéticos e seus derivados. Dessa forma, o produto orgânico é melhor para a saúde humana em toda a cadeia alimentar, do meio ambiente ao produtor e ao consumidor.
Os alimentos biodinâmicos têm em sua constituição a verdadeira vitalidade de um alimento orgânico. São produzidos de maneira holística com o uso de preparados homeopáticos, além de ter o calendário astronômico agrícola como fonte de orientação.
Os produtores biodinâmicos trabalham a terra em diferentes fases de plantio, colheita e adubação, resultando em um alimento altamente vital, digno do consumo humano.

Desejo de verdade que você consuma mais produtos orgânicos e biodinâmicos em sua vida.
Os orgânicos são encontrados facilmente em feiras espalhadas pelas cidades e também em grandes redes de supermercados e atacadistas.
Os alimentos biodinâmicos ainda não são encontrados com tanta facilidade. Existem alguns movimentos de economia colaborativa em rede, como a do Cestão Biodinâmico.

Convido você a descobrir como esses alimentos são maravilhosos e nos ajudam a viver com mais saúde. Vamos compartilhar o bem, a Mãe Terra está precisando.

SUCO *DETOX-POWER*

NÃO SOU MÉDICO MAS SEI QUE ESTE SUCO TEM MUITOS NUTRIENTES, ACELERA O METABOLISMO, POTENCIALIZA A QUEIMA DE CALORIAS E DE GORDURAS LOCALIZADAS E AUXILIA NA PERDA DE PESO. É UM ENERGÉTICO NATURAL PERFEITO PARA AGUENTAR O RITMO DO DIA, ALÉM DE AUMENTAR A IMUNIDADE. DOSAGEM RECOMENDADA: UM COPO GRANDE EM JEJUM. NÃO DESAPARECENDO OS "SINTOMAS", PROCURE ORIENTAÇÃO COM UM *PERSONAL TRAINER*.

INGREDIENTES

1 copo de água de coco fresco
2 folhas de couve (sem talo)
1 pedaço de gengibre
½ xícara de folhas de hortelã
½ talo de salsão
½ maçã
1 limão
¼ de pepino
¼ de melão maduro sem casca e sem sementes
¼ de xícara de folhas de manjericão
1 colher (café) de pó de guaraná (opcional)
gelo a gosto

DICA

Faça gelos de água de coco fresco ou de chá-verde para servir com o suco.

MODO DE FAZER

Higienize adequadamente os ingredientes em água corrente. Pique grosseiramente para ficar mais fácil para o liquidificador processar. Bata tudo por aproximadamente 40 segundos. Passe em uma peneira e beba na hora!

RENDIMENTO: 2 copos.

DICA

Manjericão, limão-cravo, laranja, limão-siciliano, espinafre, cenoura e beterraba também ficam maravilhosos no suco verde!

COMO REAPROVEITAR O BAGAÇO DO SUCO VERDE QUE FICOU NA PENEIRA?

Refogue 1 xícara do bagaço do suco *Detox-power* no azeite com 4 dentes de alho bem picados.

Adicione purê de uma batata cozida (sem casca) e refogue junto.

Tempere com salsa, açafrão da terra, sal rosa e pimenta. Se preferir, use outros temperos de sua preferência.

Quando esfriar, adicione aproximadamente ½ xícara de farinha de arroz ou de linhaça (caso necessário, utilize um pouco mais de farinha até dar o ponto).

Faça bolinhas e asse no forno médio por cerca de 20 minutos.

BRUSCHETTA FITNESS

A *BRUSCHETTA* FOI CRIADA POR TRABALHADORES RURAIS ITALIANOS PARA APROVEITAR SOBRAS DOS PÃES. A ORIGEM DA PALAVRA VEM DE "*BRUSCATO*", QUE SIGNIFICA "TOSTADO". AS *BRUSCHETTAS* TRADICIONAIS SÃO TOSTADAS NA GRELHA E SERVIDAS COM EXCELENTES AZEITES DE OLIVA. QUE TAL UMA *BRUSCHETTA* SAUDÁVEL, BONITA E GOSTOSA? ESSA É FEITA COM HOMUS CASEIRO DE BETERRABA, QUE DÁ UMA COR LINDA, LEGUMES BRASEADOS, QUEIJO FETA E AZEITE DE MANJERICÃO. VEJA AÍ QUANTO MACETE!

INGREDIENTES

HOMUS CASEIRO DE BETERRABA

1½ xícara de grão-de-bico bem cozido
½ beterraba assada no forno, sem casca
2 colheres (sopa) de *tahine* (pasta de gergelim)
½ dente de alho ralado
suco de ½ limão
½ xícara de azeite de oliva
sal a gosto

AZEITE VERDE DE MANJERICÃO

1 xícara de azeite de oliva
¾ de xícara de folhas de manjericão verde (sem o talo)

BRUSCHETTA

2 fatias de pão integral de grãos (ou pão sem glúten, ver receita na página 121)
6 colheres (sopa) de homus de beterraba
1 abacate maduro laminado finamente (sem casca e sem caroço)
2 aspargos verdes laminados finamente
4 cogumelos *shitake* laminados finamente, sem talo (aproximadamente 100 g)
1 dente de alho cru para aromatizar o pão
8 tomatinhos *sweet grape*
100 g de queijo de cabra feta
1 pedaço bem pequeno de repolho roxo cortado bem fino
sal a gosto
pimenta-do-reino moída na hora a gosto
azeite de manjericão a gosto

MODO DE FAZER

HOMUS CASEIRO DE BETERRABA

Bata todos os ingredientes em um processador ou liquidificador. Reserve na geladeira até o momento de montar as *bruschettas*.

AZEITE VERDE DE MANJERICÃO

Coloque as folhas do maço de manjericão em água fervente por 20 segundos. Em seguida, transfira imediatamente para um recipiente com água e bastante gelo para interromper o cozimento e, então, seque bem com papel-toalha. Misture as folhas de manjericão com o azeite e leve em uma panela ao fogo baixo por 5 minutos. Bata no liquidificador e coe em um pano limpo ou voal. O azeite vai ficar com a tonalidade verde e o perfume do manjericão. Espere esfriar e reserve para usar no preparo da *bruschetta.*

BRUSCHETTA

Aqueça o forno em alta temperatura. Em uma assadeira, coloque as fatias de pão de grãos regadas com um fio de azeite e leve ao forno. Enquanto isso, inicie o preparo da cobertura. Em uma frigideira bem quente e com um pouco de azeite, grelhe os aspargos, os *shitakes* e os tomatinhos. Reserve. Quando o pão estiver tostado, retire do forno e raspe o dente de alho cru para conferir um sabor incrível! Inicie a montagem passando o homus de beterraba no pão braseado e colocando sobre ele algumas fatias de abacate. Coloque os *shitakes*, os aspargos e os tomatinhos braseados por cima. Finalize com o queijo feta, o repolho roxo cru fatiado bem fininho, temperando com sal e pimenta. Por último, capriche no azeite verde de manjericão.

RENDIMENTO: 2 *bruschettas, amico mio*!

PÃO CASEIRO DE BATATA SEM GLÚTEN E SEM LACTOSE

PÃO É "*BÃO DIMAIS*", MAS ENGORDA! SE COMER SEM MODERAÇÃO, ENGORDA MESMO, ASSIM COMO TUDO NA VIDA. ESTE, PELO MENOS, NÃO CONTÉM GLÚTEN. FICA MUITO BOM COM GELEIA E ANTEPASTOS... E TAMBÉM DÁ PARA FAZER TORRADAS E *BRUSCHETTAS*.

INGREDIENTES

¾ de xícara de água morna
½ xícara de azeite extra virgem
2 sachês de fermento biológico fresco (aproximadamente 25 g)
1 colher (chá) de açúcar mascavo
1 batata sem casca cozida e amassada, em ponto de purê
8 colheres (sopa) de farinha de arroz
6 colheres (sopa) de farinha de amêndoas
3 colheres (sopa) de polvilho doce
1 colher (sopa) de *psyllium*
3 ovos
1 colher (chá) de vinagre de maçã
uma pitada de sal

DICA

O *psyllium* é uma fibra natural proveniente da casca da semente de uma planta chamada *Plantago ovata*. Por ter alta absorção de água, confere elasticidade e umidade ao pão. Possui muitos benefícios à saúde, como a manutenção dos níveis de colesterol e de açúcar e também ajuda a regular o intestino. Caso você não encontre esse ingrediente, não se desespere, seu pão pode perder um pouco de maciez, mas ainda assim vai ficar bem gostoso!

MODO DE FAZER

Em um liquidificador, coloque a água morna, o azeite, o fermento biológico e o açúcar mascavo. Bata algumas vezes no modo pulsar. Adicione a batata cozida e amassada. Siga batendo no modo pulsar por 1 minuto. Em seguida, com o liquidificador ligado em baixa rotação, adicione a farinha de arroz, a de amêndoas, o polvilho doce, o *psyllium*, os ovos, o vinagre de maçã e o sal e bata até ficar homogêneo. Desligue o liquidificador. Coloque a massa em uma forma antiaderente untada com azeite e farinha de arroz. Cubra com um pano e deixe descansar por 30 minutos. Esse passo é importante para ativar o fermento e a massa crescer. Preaqueça o forno e asse por aproximadamente 30 minutos a 180 °C. Desenforme quando ainda estiver quente.

RENDIMENTO: Serve 6 pessoas.

DICA

A melhor forma de conservar o pão é na geladeira ou no freezer, bem embalado! Se depois de uns dias o pão envelhecer, você poderá fazer farofa rústica de pão dormido (ver receita na página 144).

PUPUNHA ASSADA COM ASPARGOS, TOMATINHOS, PURÊ RÚSTICO DE BATATA ROXA E AZEITE DE LIMÃO-SICILIANO

ESSE PRATO É VEGANO, SEM GLÚTEN, SEM LACTOSE E TEM UMA RIQUEZA INCRÍVEL NAS SUAS CORES E SABORES NATURAIS. PARA COMER TODOS OS DIAS. ELABORADO APENAS COM LEGUMES FRESCOS.

INGREDIENTES

3 batatas-doces roxas
400 g de palmito pupunha fresco sem casca
tomatinhos *sweet-grape* a gosto
aspargos frescos a gosto
azeite extra virgem à vontade, para temperar e grelhar
sal e pimenta-do-reino a gosto

AZEITE DE LIMÃO-SICILIANO

1 xícara de azeite extra virgem
casca de 1 limão-siciliano

MODO DE FAZER

Como esse prato é composto por legumes que têm tempo diferente de cozimento, o ideal é que sejam preparados separadamente. Minha sugestão é colocar as batatas para cozinhar enquanto a pupunha assa no forno. Por último, grelhamos os aspargos e assamos os tomatinhos.

PURÊ DE BATATA ROXA

Gosto de cozinhar as batatas com a casca porque elas absorvem menos água. Após cozidas, ainda quentes, com um pano ou luva para não queimar as mãos, tire a casca. Amasse bem as batatas com um garfo ou as passe em um passador de legumes. Tempere com um fio generoso de azeite, sal e pimenta.

PUPUNHA

Coloque a pupunha sem casca em uma assadeira. Regue com azeite e tempere com sal e pimenta. Cubra com papel manteiga (ou alumínio). Leve ao forno médio por aproximadamente 40 minutos ou até que a pupunha esteja assada e macia no centro.

TOMATINHOS

Coloque os tomatinhos em uma assadeira. Regue-os com azeite e tempere com sal e pimenta. Leve ao forno médio por aproximadamente 10 minutos, ou até que a casca comece a rachar.

ASPARGOS

Em uma frigideira, coloque um fio de azeite e leve ao fogo forte. Quando ela estiver bem quente, grelhe os aspargos por aproximadamente 3 minutos, sempre mexendo para tostá-los por igual. Tempere com sal e pimenta.

AZEITE DE LIMÃO-SICILIANO

Aqueça o azeite em fogo baixo com a casca de limão por no máximo 5 minutos. Não pode ferver. Desligue o fogo. Deixe esfriar e armazene em recipiente seco.

MONTAGEM

Em um prato, coloque o purê de batata roxa e os legumes. Faça uma montagem criativa. Regue com o azeite de limão-siciliano.

RENDIMENTO: 2 pratos bem servidos.

CREPIOCA DE COTTAGE E COMPOTA DE DAMASCO COM ALECRIM

CREPIOCA, COMO O PRÓPRIO NOME JÁ DIZ, É UM CREPE DE TAPIOCA. É PERFEITO PARA COMER NO CAFÉ DA MANHÃ BEBENDO "AQUELE BALDE" DE CAFÉ COADO E COMEÇAR O DIA NO PIQUE!

INGREDIENTES

COMPOTA

3 xícaras de damasco
água filtrada para hidratar os damascos
um fio de azeite
1 ramo de alecrim
açúcar orgânico a gosto (opcional)

CREPIOCA

2 ovos caipiras
1 colher (sopa) de óleo de coco derretido (para derreter, aquecer 20 segundos no micro-ondas)
2 colheres (sopa) de farinha de tapioca
sal a gosto
pimenta-do-reino moída a gosto
6 colheres (sopa) de queijo cottage

MODO DE FAZER

COMPOTA DE DAMASCO COM ALECRIM

Deixe os damascos de molho na água por 5 horas. Eles vão hidratar e aumentar de tamanho. Escorra a água. Pique o damasco e leve ao fogo baixo com um fio de azeite e o ramo de alecrim. Cozinhe até que fiquem brilhantes e macios. Mexa de vez em quando para não queimar. Reserve para a montagem do prato. Se quiser adicionar um pouco de açúcar orgânico, fique à vontade, mas geralmente não precisa, porque o damasco já é adoçado.

DICA

O cottage contém bastante água. Se preferir, escorra um pouco da água deixando-o alguns minutos em uma peneira.

CREPIOCA

Bata os ovos, o óleo de coco derretido e a tapioca com um batedor manual. Tempere com sal e pimenta a gosto. Em uma frigideira antiaderente, coloque um fio de azeite e despeje metade da massa. Mexa a frigideira para preencher todo o fundo até a massa ficar levemente tostada. Vire a massa e recheie na própria frigideira com o cottage e a compota de damasco. Repita o processo para a outra metade da receita.

RENDIMENTO: 2 crepiocas bem fartas!

DOCE DE LEITE SEM LACTOSE COM SAL ROSA DO HIMALAIA

COMO ASSIM, NÉ!? PENSEI CERTA VEZ SE ISSO ERA POSSÍVEL. DOCE DE LEITE SEM LACTOSE NÃO SOA MEIO ESTRANHO? CLARO QUE NÃO! É SÓ FAZER COM LEITE DE COCO QUE FICA SENSACIONAL! SE PREPARADO COM AÇÚCAR DEMERARA ORGÂNICO, FICA MAIS SAUDÁVEL. MAS NÃO É *LIGHT*, NEM *DIET*. É SEM LACTOSE E COM AÇÚCAR DE MELHOR QUALIDADE!

INGREDIENTES

2 xícaras de leite de coco
2 colheres (sopa) de óleo de coco derretido
½ xícara de açúcar demerara
1 colher (chá) de açúcar mascavo
uma pitada de sal rosa do Himalaia

CURIOSIDADE

O sal rosa do Himalaia é extraído das montanhas próximas ao Himalaia, principalmente do Paquistão, localizado no sul da Ásia. A cor rosada vem da abundância de minerais como potássio, cálcio e magnésio. O curioso é que, apesar de estar nas montanhas, sua origem é marinha, pois há milhões de anos as regiões de onde é extraído esse sal eram cobertas por oceanos.

MODO DE FAZER

Misture todos os ingredientes, com exceção do sal rosa, e leve ao fogo baixo para cozinhar até reduzir pela metade. Esse processo é mais demorado que brigadeiro. Quando começar a aparecer o fundo da panela, está no ponto para tirar do fogo. Se quiser um pouco mais escuro, cozinhe um pouco mais. Espere esfriar e mantenha na geladeira. Coloque o sal rosa antes de servir. Os cristais do sal ressaltam ainda mais o sabor.

RENDIMENTO: Serve de 6 a 8 pessoas.

SMOOTHIE LIFE

ESTE *SMOOTHIE* É NATURALMENTE SAUDÁVEL E ENERGÉTICO E TEM UMA COMBINAÇÃO DE CORES VIBRANTES. RECOMENDO TOMAR ANTES DO TREINO. HAJA ENERGIA! VIVA A MALHAÇÃO!

INGREDIENTES

SMOOTHIE VINHO

1 maçã em pedaços (sem sementes, pode ser com casca)
½ xícara de açaí
100 g de *blueberry*

SMOOTHIE PINK

1 banana em pedaços (sem casca)
100 g de framboesa
1 colher (sopa) de melado de cana
3 castanhas-do-pará

SMOOTHIE AMARELO

suco de ½ limão
1 manga em pedaços (sem caroço e sem casca)
1 pote de iogurte grego (aproximadamente 100 g)

DICA

Se você for intolerante à lactose, substitua o iogurte grego por ½ xícara de leite de coco.

MODO DE FAZER

Manter as frutas no congelador ajuda a deixar o *smoothie* mais denso, mais gelado e facilita a montagem em camadas. Bata os ingredientes de cada *smoothie* separado e reserve na geladeira. Após preparar o último, faça a montagem nos copos intercalando as camadas.

DICA

Use um canudo biodegradável para não poluir o meio ambiente. Enquanto degusta a vitamina, movimente o canudo de cima para baixo e de baixo para cima para provar em um mesmo gole as variações de sabores.

RENDIMENTO: 2 a 3 copos para gente que não malha, ou 1 copo gigante para os marombeiros.

FESTA NA LAJE

CELEBRANDO A BRASILIDADE

A felicidade está presente nas coisas mais simples da vida. Festa na laje está no sangue do brasuca.

No Rio de Janeiro, para alguns, a festa na laje até virou negócio, se tornou palco de verdadeiras celebrações cariocas e atração turística para os gringos.

Além da boa cerveja gelada e do churrasco, trago aqui algumas receitas simples de fazer e muito deliciosas.

Pode até faltar dinheiro, mas comida e alegria jamais!

CALDINHO DE FEIJÃO COM CACHAÇA, CHEIRO VERDE E BACON CROCANTE

ACHO QUE O CALDINHO DE FEIJÃO SURGIU POR CAUSA DOS GULOSOS E ANSIOSOS COMO EU, ESSA GENTE QUE NÃO CONSEGUE ESPERAR O PREPARO COMPLETO DE UMA FEIJOADA. ESSA É MINHA TEORIA. ATÉ HOJE, SEMPRE QUE TEM ALGUÉM PREPARANDO UMA FEIJUCA QUANDO ESTOU POR PERTO, CHEGO DE MANSINHO, TROCO AQUELA IDEIA, SOU SIMPÁTICO... SÓ PARA TENTAR GANHAR UM POUCO DO FEIJÃO QUE ESTÁ LÁ NA PANELA (QUASE!) PRONTO. SEM QUERER ABUSAR... PODE ME EMPRESTAR UMA PIMENTINHA?

INGREDIENTES

1 cebola picadinha
150 g de bacon bem picado
1 kg de feijão preto cozido com bastante caldo
100 ml de cachaça, para dar o toque final
salsinha fresca picada a gosto
cebolinha fresca picada a gosto
pimenta de sua preferência a gosto
fatias de bacon frito

MODO DE FAZER

Em uma panela, refogue a cebola e o bacon picado em fogo médio para que o bacon solte a própria gordura e fique bem dourado. Bata o feijão com o caldo no liquidificador e coloque na panela com o bacon e a cebola. Ferva o caldo até que fique cremoso. Quando estiver no ponto, coloque cachaça, salsinha e cebolinha picadas. Sirva em copinhos acompanhados de uma boa pimenta, caso goste. Decore com fatias de bacon frito e salsinha picada.

RENDIMENTO: Serve uns 10 gulosos-ansiosos.

ESCABECHE DE SARDINHAS AO VINHO DO PORTO

SARDINHAS SÃO BARATAS E DE SABOR POTENTE; COM POUCO DINHEIRO, PODE-SE FAZER MUITA GENTE FELIZ COM ELAS. NO ESCABECHE TRADICIONAL, AS SARDINHAS SÃO COZIDAS COM ESPINHA, APÓS O COZIMENTO ELAS FICAM MACIAS. A FESTA É SUA, ENTÃO, SE PREFERIR, TIRE AS ESPINHAS ANTES DE COZINHÁ-LAS.

INGREDIENTES

3 cebolas picadas grosseiramente
4 tomates sem semente picados grosseiramente
1 talo de alho-poró picado
5 sardinhas frescas (sem rabo e sem cabeça)
6 dentes de alho inteiros (sem casca)
1 maço pequeno de coentro picado (ou salsinha)
1 maço pequeno de cebolinha picado
1 xícara de vinho do porto
200 ml de azeite
½ xícara de água
suco de 1 limão-siciliano
sal e pimenta-do-reino preta a gosto

DICA

Esse escabeche fica bom pacas com um cálice de vinho do porto bem gelado!

MODO DE FAZER

Em uma panela de pressão, faça uma cama com a cebola, o tomate e o alho-poró. Em seguida, coloque as sardinhas e todos os outros ingredientes na ordem em que estão listados. Leve ao fogo. Quando pegar pressão, baixe o fogo e marque 30 minutos. Desligue o fogo. Espere sair toda a pressão antes de abrir a panela. Se estiver com muito líquido, volte para o fogo, sem tampa, e espere reduzir um pouco mais, até secar o excesso de água. Espere esfriar e coloque na geladeira.

Deixe para servir no dia seguinte, vai estar mais firme e com sabor mais apurado.

Regue com um pouco mais de azeite no momento de servir.

Sirva frio com torradas de pão preto ou pão de sua preferência.

RENDIMENTO: Aperitivo para 10 pessoas.

LINGUIÇA ARTESANAL RECHEADA

FAZER LINGUIÇA EM CASA NÃO É TÃO DIFÍCIL ASSIM. PODEMOS ENCONTRAR QUASE TUDO EM NOSSO AÇOUGUE DE CONFIANÇA E FAZER A LINGUIÇA COM A CARNE QUE A GENTE MAIS GOSTA!

Se você não for um profissional da cozinha, dificilmente terá um moedor de carne na sua casa. Então é só pedir para o açougueiro moer as carnes juntas, de 2 a 3 vezes. Aí você leva para casa e tempera do seu jeito. Um funil de plástico e um pouco de paciência são suficientes para você fazer uma deliciosa linguiça caseira, sem conservantes. Ou então, em vez do funil, use um saco de confeiteiro com um bico largo na ponta. Gosto mais dessa segunda opção, é um pouco mais fácil de se trabalhar.

UTENSÍLIO NECESSÁRIO

funil de plástico ou saco de confeiteiro com bico largo na ponta.

INGREDIENTES

1,5 kg de pernil de porco em pedaços
350 g de toucinho moído em pedaços
tripa desidratada e salgada
2 colheres (sopa) de alho ralado
ervas frescas a gosto
1 colher (sopa) de sal
pimenta-do-reino moída a gosto
1 litro de água gelada
100 ml de vinagre de vinho branco

DICA

Conversei com o Daércio, amigo antigo, que se dedica com esmero ao preparo de linguiças caseiras, e ele nos deu algumas dicas:

- Uma boa proporção é de 70% de carne para 30% de gordura;
- A carne tem que estar sempre bem resfriada quando for manipulada; deixe uns 30 minutos no freezer antes do preparo;
- As tripas mais comuns são a de porco e a de carneiro; compre tripas longas, que costumam ser mais resistentes e ter menos furos.

1ª ETAPA: NO AÇOUGUE DE SUA PREFERÊNCIA

Peça para o açougueiro gentilmente cortar o pernil e o toucinho em cubos e misturar as duas carnes. Depois, solicite que passe no moedor de carne 2 a 3 vezes vezes. Compre também algumas tripas longas, desidratadas e salgadas para o preparo das linguiças. Último passo, o mais importante: dê uma gorjeta para o açougueiro, se você quiser continuar fazendo linguiça artesanal sem ter que comprar um moedor de carne. Corra para sua casa.

2ª ETAPA: NA SUA CASA

Chegando em casa, coloque a carne (pernil + bacon moídos) em um recipiente e tempere imediatamente com o alho, as ervas frescas, o sal e pimenta a gosto. Coloque na geladeira e deixe de um dia para o outro coberto por filme de PVC. Verifique se o seu funil de plástico (ou o saco de confeitar com bico) está à mão para o preparo do dia seguinte. Se quiser fazer no mesmo dia também pode, mas o ideal é deixar pelo menos 4 horas na geladeira para a carne ficar bem resfriada e absorver o tempero.

3ª ETAPA: MONTAGEM DAS LINGUIÇAS

No dia seguinte, antes de preparar as linguiças, deixe as tripas de molho em uma bacia com água e vinagre por 1 hora. Depois lave as tripas em água corrente.
Dê um nó na ponta da tripa, coloque a carne resfriada no funil e vá empurrando a carne para encher a tripa. Siga com o processo até colocar toda a carne dentro da tripa. Dê um nó na outra extremidade. Durante esse processo, é necessário fazer pequenos furos para sair o ar e a tripa não estourar. Caso estoure, não se preocupe, ajeite a carne, dê um nó, guarde essa linguiça e inicie o preenchimento de uma nova linguiça. A linguiça pode ser inteira, ou longa e enrolada, tipo um caracol, ou ainda em tamanhos menores.
Com a prática, adicione diferentes ingredientes quando fizer a mistura de carne. Algumas sugestões:

- Provolone em cubos pequenos;
- Queijo coalho ralado;
- Azeitona picada;
- Rúcula picada com tomate seco.

Como é uma produção artesanal, sem conservantes, se não for consumida em 2 dias, manter congelada.

RENDIMENTO: Aperitivo para uns 10 amigos.

CUPIM NA BRASA COM FAROFA DE PÃO DORMIDO E MANTEIGA *NOISETTE*

CADA CHURRASQUEIRO TEM SUA TÉCNICA PARA PREPARAR CUPIM. ALGUMAS PESSOAS COZINHAM LENTAMENTE NO CELOFANE, CORTAM OS BIFES E GRELHAM. OUTROS FAZEM NO ESPETO E VÃO TIRANDO AS CROSTINHAS QUEIMADAS E CROCANTES. COMO SOU ANSIOSO, VOU ENSINAR UMA TÉCNICA PARA PREPARAR O CUPIM MAIS RAPIDAMENTE E VAMOS FINALIZAR NA CHURRASQUEIRA DA LAJE. TAMBÉM VOU MOSTRAR COMO FAZER UMA BOA FAROFA DE PÃES DORMIDOS.

AH! VOCÊ SABE COMO PREPARAR A TAL DA MANTEIGA *NOISETTE*? E O QUE SIGNIFICA "*NOISETTE*"? EM FRANCÊS, "*BEURRE NOISETTE*" SIGNIFICA MANTEIGA DE AVELÃ. O GOSTO É BEM PARECIDO COM O DA CASTANHA QUANDO A MANTEIGA É TOSTADA. EM INGLÊS, CHAMA-SE *BROWN BUTTER*.

INGREDIENTES

CUPIM

1,5 kg de cupim
2 talos de salsão picados
1 talo de alho-poró picados
1 cebola picada
½ pimentão verde picado
½ pimentão vermelho picado
2 folhas de louro
2 ramos de alecrim
1¼ de xícara de vinho branco seco
sal e pimenta a gosto
azeite para grelhar

MANTEIGA *NOISETTE*

1 tablete de manteiga sem sal (200g)

FAROFA DE PÃO DORMIDO

4 pães amanhecidos
2 dentes de alho
½ xícara de salsinha
um fio de azeite
sal e pimenta a gosto

MODO DE FAZER

CUPIM

Coloque todos os ingredientes em uma panela de pressão e cubra com água dois dedos acima. Leve ao fogo alto até a panela começar a chiar. Quando iniciar a pressão,

baixe o fogo e cozinhe por 1h30. Passado esse tempo, desligue o fogo e espere a pressão sair naturalmente. Tire o cupim da panela e corte em bifes de 1 a 2 dedos de espessura. Para fatiar a carne, use uma faca bem afiada porque ela pode desmanchar, pois estará bem cozida e macia. Passe azeite nos bifes para não grudar. Leve à churrasqueira quando a grelha estiver bem quente. Grelhe rapidamente e sirva com a farofa de pão e a manteiga *noisette*.

MANTEIGA *NOISETTE*

Corte o bloco de manteiga em uns 10 pedaços do mesmo tamanho e leve à frigideira em fogo médio. Com uma espátula, não pare de mexer até que fique com uma cor marrom e com perfume de avelã. Cuidado para não deixar a manteiga queimar, isso pode acontecer em questão de segundos de distração. Após esse processo, o ideal é coar a manteiga ainda quente em um pano limpo.

FAROFA DE PÃO DORMIDO

Coloque o pão amanhecido, o alho e a salsinha em um processador ou liquidificador. Triture grosseiramente no modo pulsar. Não é pra virar pó. Leve à frigideira com um fio de azeite para deixar a farofa tostada e crocante. Tempere com sal e pimenta a gosto.

RENDIMENTO: Serve de 6 a 8 pessoas.

PUDIM DE LEITE CONDENSADO COM QUEBRA-QUEIXO

ONDE ENCONTRAMOS O QUEBRA-QUEIXO? ELE É VENDIDO NAS RUAS. E O PUDIM DE LEITE? ESTE, TODA FAMÍLIA TEM A SUA RECEITA. AS DUAS RECEITAS JUNTAS, USANDO DE SIMPLICIDADE E TRADIÇÃO, NOS PROPORCIONAM UM MARAVILHOSO DOCE. E NÃO PODEMOS ESQUECER DO COCO COM LEITE CONDENSADO, POIS É A CARA DO BRASIL. UM DOCE COMO A VIDA DEVE SER TODOS OS DIAS! MARAVILHOSO!

INGREDIENTES

QUEBRA-QUEIXO

1 xícara de coco fresco ralado grosso
1 xícara de açúcar
1¼ xícara de água

PUDIM

1 lata de leite condensado
1 lata de leite integral (mesma medida da lata)
3 ovos
1 colher (sopa) de amido de milho
3 colheres (sopa) de açúcar (só para caramelizar a forma)
coco em fita para decorar

MODO DE FAZER

QUEBRA-QUEIXO

Leve ao fogo médio o coco, o açúcar e 1 xícara de água. Mexa de vez em quando. Deixe até que fique caramelizado. A cor de caramelo é show, né!? Nessa hora adicione o restante da água. Volte para o fogo e reduza até que fique com o caramelo cremoso. Espere esfriar.

PUDIM

Bata no liquidificador o leite condensado, o leite, os ovos e o amido de milho. Deixe descansar por 30 minutos para sair as bolhas de ar. Com uma colher grande, retire a espuma que se forma na superfície. Caramelize o fundo da forma de pudim, colocando o açúcar em uma forma de 20 cm de diâmetro e com furo. Leve a fôrma direto na boca do fogão, em fogo baixo, tomando

cuidado para não queimar o fundo. Se for uma fôrma maior tem que colocar mais açúcar, hein!?
Misture o quebra-queixo na massa do pudim e mexa delicadamente para não formar bolhas de ar. Despeje na fôrma já caramelizada. Cubra com papel-alumínio. Asse em forno preaquecido a 180 °C, no banho-maria, por aproximadamente 1 hora. Verifique com um palito de dente ou um garfo se o pudim já está cozido. Retire o papel-alumínio e coloque na geladeira por pelo menos 10 horas. Desenforme e sirva decorado com o coco em fita.

RENDIMENTO: 1 pudim.

ABACAXI GRELHADO COM AÇÚCAR DE CARDAMOMO E RASPAS DE LIMÃO-TAITI

SIMPLES E COM O "*REBOLATION*" DO BRASIL.

INGREDIENTES

6 bagas de cardamomo
1 xícara de açúcar
2 xícaras de água
1 abacaxi maduro sem casca
folhas pequenas de hortelã a gosto
raspas de limão

MODO DE FAZER

Com as mãos ou com o auxílio de uma pequena faca, tire as sementes de cardamomo das bagas. Bata rapidamente o açúcar com as sementes no liquidificador. Se preferir, você pode picar bem as sementes e misturar com o açúcar em vez de usar o liquidificador. Reserve ¼ desse açúcar de cardamomo para o final do preparo. Leve os outros ¾ do açúcar de cardamomo e a água ao fogo. Quando ferver, tire do fogo e espere esfriar. Despeje essa calda sobre os abacaxis cortados em rodelas (1 a 2 dedos de altura e sem miolo), dispostos em uma assadeira. Deixe-os marinando de um dia para o outro dentro da geladeira para apurar o gosto. Vire de vez em quando para absorver o sabor dos dois lados.

FINALIZAÇÃO

Retire os abacaxis da marinada e grelhe-os na sua churrasqueira dos dois lados. Quando tirar da brasa, coloque no prato e salpique um pouco mais do açúcar de cardamomo. Complemente com folhas de hortelã e raspas de limão.

DICA

Sirva com sorvete de coco. Fica perfeito.

RENDIMENTO: 5 a 6 porções.

AMBROSIA EM DIFERENTES TEXTURAS - TRADICIONAL, CROCANTE E CREMOSA

CRIEI ESSA RECEITA QUANDO FUI DAR AULA EM UM CONGRESSO DE GASTRONOMIA EM ARAXÁ, MINAS GERAIS. ALI É O BERÇO DA TRADICIONALÍSSIMA E DELICIOSA AMBROSIA DA DONA JOANINHA. SEM PRETENSÃO NENHUMA, E COM A MAIOR HUMILDADE DO MUNDO, APRESENTEI MINHA RECEITA COM UMA PEGADA MAIS MODERNA PARA O GRUPO QUE ASSISTIA À MINHA PALESTRA. TODOS SE ENTREOLHARAM RECEOSOS. FOI COMO ENTRAR COM A CAMISA DO GALO NO MEIO DA TORCIDA DO CRUZEIRO, MEU CORAÇÃO DEU UMA ACELERADA. "QUEM VAI QUERER PROVAR MINHA AMBROSIA TURBINADA?" PARA A MINHA SURPRESA, TODOS PROVARAM E, PARA A MINHA FELICIDADE, GOSTARAM BASTANTE! MAS É ÓBVIO QUE A AMBROSIA DA DONA JOANINHA É BEM MAIS GOSTOSA. TRADIÇÃO NÃO SE DISCUTE!

INGREDIENTES

AMBROSIA TRADICIONAL

1½ xícara de água
5 xícaras de açúcar
8 ovos
4 gemas
1 litro de leite
2 a 3 paus de canela em pau para aromatizar

CREME DE AMBROSIA

¼ da receita de ambrosia tradicional
⅓ xícara de creme de leite

CROCANTE DE AMBROSIA

¼ da receita de ambrosia tradicional
1 colher (sopa) de manteiga
3 colheres (sopa) de farinha de trigo

MODO DE FAZER

AMBROSIA TRADICIONAL

Leve a água e o açúcar para o fogo e deixe ferver até engrossar ligeiramente. Bata os ovos e as gemas até ficar fofo. Adicione o leite, a canela em pau e mexa. Despeje na calda da água e açúcar e deixe reduzir em fogo baixo. Mexa só de vez em quando, lentamente, para não grudar no fundo.
A calda vai secando aos poucos e a sobremesa fica cremosa, com uma cor dourada. Tire do fogo. Separe em duas partes. Uma das metades reservamos e guardamos na geladeira. A outra metade, dividimos em duas partes: uma para preparar o creme de ambrosia e a outra para o crocante de ambrosia; ou seja, metade

da ambrosia fica na geladeira enquanto preparamos o creme e o crocante de ambrosia com a outra metade.

CREME DE AMBROSIA

Separe ¼ da ambrosia ainda morna e bata com um *mixer* até que fique um creme liso. Adicione o creme de leite e misture bem. Leve à geladeira para esfriar.

CROCANTE DE AMBROSIA

Agora peneire a outra parte que reservamos da ambrosia para que escorra o excesso de calda. Misture com a manteiga e a farinha de trigo. Mexa bem. Coloque no forno preaquecido em baixa temperatura até que ela fique bem sequinha. Esse processo vai depender do forno; se for um forno residencial a 140 °C, deve demorar um pouco mais de 1 hora. Tire do forno e espere esfriar. Quebre com as mãos. Vai virar um crocante de ambrosia.

PARA A MONTAGEM

No fundo de uma taça, coloque a ambrosia tradicional, cubra com o creme de ambrosia e finalize com o crocante por cima.

RENDIMENTO: Vai depender do tamanho das taças que você vai usar para montar sua sobremesa, mas dá para servir tranquilamente 8 pessoas.

CONEXÃO BRASIL-JAPÃO

ENCURTANDO DISTÂNCIAS COM SABOR

Quando criança estudei no bairro da Liberdade, a região que tem a maior concentração de japoneses fora do Japão. Sempre tive amigos descendentes de japoneses.

Visitei o Japão em 2007 e fiquei enlouquecido com os costumes e a culinária do país. Digo sempre que o Japão é um outro planeta, tamanha a evolução tecnológica e a educação desse povo trabalhador.

O primeiro chef e *sushiman* a abrir as portas do seu restaurante para eu fazer um estágio foi o mestre Tsuyoshi Murakami, um cara incrível, por quem tenho profunda admiração.

Sou muito grato à cultura japonesa por ter grande influência em minha vida e na minha culinária.

Domo arigatou gozaimasu!

CONTRAFILÉ MARINADO NO MISSÔ

MISSÔ É UMA PASTA DE SOJA FERMENTADA, UTILIZADA NO PREPARO DE PEIXES, CARNES, SOPAS E LEGUMES. O SABOR É INDESCRITÍVEL, TÃO BOM QUE A GENTE COME E CHORA DE EMOÇÃO AO MESMO TEMPO.

INGREDIENTES

4 bifes de contrafilé de aproximadamente 200 g cada
500 g de pasta de soja (missô)
pitadas de flor de sal
raspas de limão
200 ml de molho de soja (*shoyu*)

MODO DE PREPARO

Em uma travessa, coloque os bifes e cubra com o missô. Marine por 12 horas dentro da geladeira. Após a marinada, com papel-toalha, retire o excesso da pasta de soja. Grelhe na churrasqueira ou na frigideira. Corte em pequenos pedaços e disponha em uma bonita louça. Finalize com flor de sal e raspas de limão. Sirva com ***hashis****. Passe o suculento pedaço de carne no shoyu e diga: "*Oichi*"!, que significa "delicioso" em japonês.

RENDIMENTO: 4 pessoas.

DICA

Flor de sal são cristais de sais que se formam na superfície dos tanques nas salinas. É um sal mais puro, que não passa pelo processo de refinamento. É um ingrediente rico em cálcio, potássio, ferro, zinco e magnésio. Mas como tudo na vida, deve ser consumido sem exageros.

* pauzinhos ou palitinhos, que são utilizados como talheres no Japão, na China, no Vietnã e na Coreia.

COXA E SOBRECOXA COM ÓLEO DE GERGELIM E *SHOYU*

ESSA RECEITA É CARA DE ALMOÇO EM FAMÍLIA. SABE AQUELA SUA TIA FALADEIRA? ELA NÃO VAI BOTAR FÉ QUE ESSE TEMPERO VAI FICAR MAIS GOSTOSO DO QUE O FRANGO NA CERVEJA QUE ELA FAZ HÁ MAIS DE 20 ANOS, E NINGUÉM MAIS CONSEGUE SENTIR O MESMO CHEIRO. A HORA DA MUDANÇA CHEGOU! RESPIRE CONFIANTE E VÁ PRA COZINHA!

INGREDIENTES

MARINADA

5 coxas e sobrecoxas de frango desossadas
suco de 2 limões
4 colheres (sopa) de óleo de gergelim
1 xícara de molho de soja (*shoyu*)
1 cabeça de alho ralado
5 colheres (sopa) de mel
½ xícara de água

MOLHO

⅓ de xícara da marinada
½ xícara de mel
½ xícara de água
sal e pimenta, se necessário

MODO DE FAZER

MARINADA

Coloque as coxas e sobrecoxas em uma assadeira e despeje todos os ingredientes da marinada. Esfregue bem no frango para apurar o sabor. Marine por pelo menos 2 horas dentro da geladeira.
Em seguida, na mesma assadeira, leve ao forno preaquecido em temperatura média e coberto com papel-alumínio. Asse por 30 minutos ou até que o frango esteja cozido. Aumente a temperatura do forno, tire o papel-alumínio e deixe por mais 5 minutos em temperatura alta, até que esteja dourado e crocante.
Fatie e sirva com o molho à parte.

MOLHO

Reserve ⅓ de xícara da marinada, junte com o mel e a água. Coloque pimenta. Coloque sal só se for necessário, pois o *shoyu* (que está na marinada) costuma ter sal suficiente. Bata no liquidificador. Coloque no fogo até levantar fervura. Tire do fogo e passe em uma peneira. Sirva quente com o frango.

RENDIMENTO: 5 *tomodadis* – leia-se "amigos", em japonês.

ATUM AERADO DE *WASABI* E *TERIYAKI* COM CROSTA DE GERGELIM

ESSA RECEITA TEM INGREDIENTES JAPONESES E ALMA BRASILEIRA. É MUITO COMUM ENCONTRAR ATUM SELADO EM RESTAURANTES NO BRASIL, JÁ VIROU UM CLÁSSICO. PARA FAZER ESTA RECEITA, USAMOS UM MOLHO AGRIDOCE TRADICIONAL, QUE, CURIOSA E EQUIVOCADAMENTE, AS PESSOAS CHAMAM DE *TARÊ*. ELE É FEITO COM *SHOYU*, SAQUÊ E AÇÚCAR. NA VERDADE, *TARÊ* QUER DIZER "MOLHO" EM JAPONÊS. ENTÃO, ESTE É UM *TARÊ TERIYAKI*. ASSIM, VAMOS FAZER UM GOSTOSO E PERFEITO ATUM SELADO COM O TRADICIONAL MOLHO *TERIYAKI*.

INGREDIENTES

CREME DE WASABI

200 g de creme de leite fresco
suco de ½ limão-taiti
sal e pimenta-do-reino a gosto
1 colher (café) de pasta de *wasabi* (se quiser mais ou menos intenso, varie a quantidade)

MOLHO *TERIYAKI*

100 ml de molho de soja (*shoyu*)
100 g de açúcar
50 ml de saquê seco
50 ml de saquê culinário (mirin)
1 colher (chá) de gengibre ralado
1 cebolinha inteira

ATUM

2 lombos de atum
gergelim preto e branco a gosto
sal e pimenta-do-reino a gosto
azeite para grelhar

MODO DE FAZER

CREME DE *WASABI*

Bata o creme de leite fresco na batedeira até ficar com textura aerada, parecido com chantili. (Caso não tenha batedeira, utilize um batedor manual.) Adicione o suco de limão, o sal, a pimenta-do-reino, o *wasabi* e misture manualmente. Reserve.

MOLHO *TERIYAKI*

Coloque todos os ingredientes em uma panela e misture-os ainda frios. Coloque para ferver em fogo baixo. Reduza em fogo brando por aproximadamente 20 minutos. Retire a cebolinha coando o molho. Ele tem que ficar na consistência de calda de caramelo. Reserve em temperatura ambiente.

DICA

O creme de *wasabi* e o molho *teriyaki* também ficam maravilhosos com salmão selado e frango empanado.

ATUM

Coloque o gergelim preto e branco misturados em um prato. Tempere o peixe com sal e pimenta. Passe todos os lados do lombo de atum no gergelim. Em uma frigideira antiaderente bem quente, coloque um pouco de azeite e grelhe cada lado do atum por 30 segundos. Monte o prato com o creme de *wasabi* e o molho *teriyaki*.

RENDIMENTO: serve 2 felizardos!

ROBATINHAS

AS *ROBATAS* SÃO OS TRADICIONAIS ESPETINHOS JAPONESES. SUA ORIGEM VEM DOS PESCADORES DE HOKKAIDO, ILHA NO NORTE DO JAPÃO, POIS ELES SE REUNIAM PARA GRELHAR SEUS PESCADOS EM VOLTA DE UMA FOGUEIRA. *ROBATA* SIGNIFICA "EM TORNO DO FOGO". O MÉTODO DE COZIMENTO É SIMILAR AO CHURRASCO. SÃO FEITAS TAMBÉM DE CARNE, FRANGO, FRUTOS DO MAR E LEGUMES.

ROBATA DE LEGUMES

ESTA RECEITA É LEGAL PARA APROVEITAR OS LEGUMES QUE SOBRAM NA GELADEIRA SEM DESTINO. CORTE-OS, COLOQUE EM UM ESPETO E "BORA PRA BRASA"!

INGREDIENTES

ROBATINHAS

5 cogumelos *shitake* cortados ao meio
10 pequenos pedaços de cada pimentão: vermelho, amarelo e verde
10 pequenos pedaços de couve-flor
10 pequenos pedaços de abobrinha cortados em triângulos ou cubos
5 *échalotes* (ou chalotas, em português), cozidas por 2 minutos em água com 1 colher (sopa) de açúcar
3 ervilhas-tortas, cortadas em pedaços e cozidas previamente por 30 segundos
espetos de madeira (tipo churrasquinho, para montagem)

MOLHO

½ xícara de molho de soja (*shoyu*)
suco de 1 limão
½ xícara de azeite
1 dente de alho ralado
pimenta-do-reino moída a gosto
sal (opcional, dependendo do *shoyu* utilizado)

DICA

O ideal é usar um pincel para passar o molho nas *robatas* antes e durante o momento em que elas estiverem sendo grelhadas.

MODO DE FAZER

Misture todos os ingredientes do molho. Reserve em um recipiente. Monte os espetinhos, intercalando os *shitakes*, todos os pimentões, a couve-flor, a abobrinha, as echalotas e as ervilhas. Tempere com o molho e leve à grelha. O fogo não pode estar muito forte pois pode queimar os legumes por fora e não cozinhar por dentro. Enquanto as *robatas* estiverem na brasa, regue com o molho de vez em quando até que estejam no ponto.

RENDIMENTO: 5 robatas.

ROBATA DE VIEIRAS E CAMARÕES COM RAMO DE ALECRIM

INGREDIENTES

1 espeto de churrasco para montagem
15 camarões rosas, de tamanho médio
10 vieiras
5 ramos de alecrim
sal e pimenta-do-reino moída
azeite para grelhar
1 colher (sopa) de manteiga
2 dentes de alho inteiros, sem casca

MODO DE FAZER

Com a ajuda de um espeto de churrasco, faça furos nos camarões e nas vieiras para facilitar a passagem do ramo de alecrim. Monte os espetinhos com 3 camarões e 2 vieiras, intercalando. Tempere com sal e pimenta. Em uma frigideira antiaderente, coloque um fio de azeite, a manteiga e os dentes de alho. Com a frigideira quente, grelhe as *robatas* até que os camarões estejam cozidos por dentro. A vieira pode ser servida crua por dentro. Os dentes de alho e a manteiga são para conferir mais sabor. Se você tiver intolerância à lactose, faça sem manteiga.

RENDIMENTO: 5 robatas.

FILÉ-MIGNON SUÍNO COM MOLHO DE TANGERINA

A CARNE SUÍNA É SABOROSA DEMAIS E ESTÁ PRESENTE TANTO EM NOSSO DIA A DIA QUANTO NA CULINÁRIA JAPONESA. MOLHOS AGRIDOCES SUPERCOMBINAM COM PORCO. "BORA" PROVAR?

INGREDIENTES

ROUX

½ xícara de manteiga
½ xícara de farinha de trigo

FILÉ SUÍNO

1 kg de filé-mignon suíno
½ cebola picada
150 ml de saquê seco
150 ml de vinho branco seco
½ xícara de suco de tangerina
5 folhas de louro
1 colher (sopa) de gengibre ralado
uma pitada de sal
uma pitada de pimenta-do-reino preta
rabanete fatiado finamente para decorar

MOLHO DE TANGERINA

1¼ de marinada
suco de 2 tangerinas
5 colheres (sopa) de mel
1 colher (sopa) de ***roux*** dourado*

Espessante feito com farinha de trigo e manteiga, com medidas iguais, usado para engrossar e conferir sabor e brilho a molhos e caldos. É uma técnica original da cozinha francesa.

MODO DE FAZER

ROUX

Em uma panela ou frigideira, derreta a manteiga e adicione a farinha. Misture constantemente até atingir o ponto desejado. Existem 3 tipos de *roux*: o branco, que na verdade tem coloração amarelada (que deve ficar na panela por 2 minutos), o dourado (que deve ficar por 5 minutos) e o escuro (de 8 a 10 minutos). Quando estiver pronto, coloque em um recipiente com tampa e deixe na geladeira. Após o *roux* endurecer, corte em cubos e coloque a quantidade necessária para engrossar o caldo ou molho desejado. Sugiro fazer esse procedimento com fogo médio para não queimar e dar tempo de cozinhar a farinha.

FILÉ SUÍNO

Coloque o filé-mignon suíno em uma assadeira e tempere o restante dos ingredientes. Deixe na geladeira por no mínimo 2 horas. O ideal é marinar na geladeira de um dia para o outro. Passado esse tempo, enquanto o forno preaquece, peneire a marinada para o preparo do molho. Reserve. Cubra a carne com papel-alumínio e leve ao forno por 40 minutos em temperatura baixa (180 °C) ou até que esteja no ponto. Importante: o ponto da carne do porco é diferente do da carne bovina. Ela não deve estar rosada, o ideal é estar suculenta e com a coloração mais clara. Enquanto o porco está assando no forno, vamos preparar o molho.

MOLHO DE TANGERINA

Em uma panela, coloque a marinada, adicione o suco de tangerina e o mel. Reduza 20% aproximadamente. Engrosse o molho com o *roux*, mexendo bem com um batedor manual.

MONTAGEM

Tire a carne do forno e grelhe em uma frigideira por todos os lados em alta temperatura. Corte em pequenos quadrados e monte na sua louça preferida com o molho de tangerina. Fatie o rabanete finamente e intercale com o filé-mignon suíno.
Omedetô! Parabéns!

RENDIMENTO: Serve 4 pessoas.

SORVETE CASEIRO DE CREME COM *WASABI*

***WASABI* É UMA RAIZ MUITO UTILIZADA NA CULINÁRIA JAPONESA, PRINCIPALMENTE EM *SUSHIS* E *SASHIMIS*. TAMBÉM É UTILIZADA NA FITOTERAPIA, EM PESSOAS COM RINITE ALÉRGICA E ALERGIA RESPIRATÓRIA, POIS CONTÉM PROPRIEDADES EXPECTORANTES E DESCONGESTIONANTES. COSTUMO USAR O *WASABI* EM PURÊS, MOLHOS E DRINKS. EM SOBREMESAS ESTA É A PRIMEIRA RECEITA. VÁ COM CALMA NA QUANTIDADE, SEM EXAGEROS. NEM VENHA CHORAR COMIGO DEPOIS!**

INGREDIENTES

6 gemas
¾ de xícara de açúcar demerara
2 colheres (sopa) de leite em pó
1¼ xícara de leite integral
1 xícara de creme de leite fresco
1 colher de extrato natural de baunilha (sem corante caramelo IV, para uma livre de conservantes e corantes artificiais; fica melhor ainda se você substituir o extrato por sementes da fava de baunilha)
2 colheres (sopa) da pasta de *wasabi*

MODO DE FAZER

Em uma panela, com os ingredientes ainda frios, misture as gemas, o açúcar, o leite em pó, o leite integral e o creme de leite. Leve ao fogo até a temperatura de pré-ebulição (antes de ferver). Tire do fogo e adicione o extrato natural de baunilha. Incorpore tudo e leve ao freezer. Após congelar, bata em uma batedeira em velocidade alta por 2 minutos com o *wasabi* e retorne ao freezer. Espere o sorvete congelar novamente e estará pronto, aproveite!

RENDIMENTO: Serve 6 pessoas.

HAPPY HOUR

PARA CONFRATERNIZAR COM A GALERA DO TRABALHO

Nesta seção você encontra deliciosas receitas para relaxar depois do trabalho. Essa é a hora da fome!

Uma friturinha cai bem. Comida democrática, sem frescura, para desfrutar de um momento onde a hierarquia perde sentido.

É aquela hora em que o estagiário faz discurso de presidente, o diretor afrouxa a gravata e o gerente de recursos humanos vira candidato ao Nobel da Paz.

Juntar o pessoal do trabalho nem sempre é fácil, mas quando dá certo a confusão vale a pena!

ESPETINHOS DE *KAFTA* COM MOLHO DE IOGURTE E HORTELÃ

A *KAFTA* É UM TIPO DE CHURRASCO ÁRABE FEITO DE CARNE MOÍDA BOVINA OU DE CORDEIRO. AS FAMÍLIAS TRADICIONAIS ÁRABES COSTUMAM TER SUAS ESPECIARIAS SECRETAS GUARDADAS A SETE CHAVES. AS *ÉCHALOTES* PARECEM CEBOLAS EM MINIATURAS E TÊM O SABOR MAIS DELICADO, MAIS DOCE. TAMBÉM SÃO CONHECIDAS PELO NOME DE CHALOTAS OU CHALOTAS FRANCESAS.

INGREDIENTES

KAFTA

500 g de patinho moído (pedir para o açougueiro moer a carne 2 vezes)
¼ de cebola média bem picada
2 colheres (sopa) de mostarda
½ pimenta dedo-de-moça bem picada (sem semente)
folhas de hortelã picadas a gosto
duas pitadas de canela em pó
sal e pimenta a gosto
espetos de churrasco ou palitos

MOLHO DE IOGURTE COM HORTELÃ

1 pote de iogurte sem açúcar
2 colheres (sopa) de azeite
5 folhinhas de hortelã picadas na hora
sal a gosto
pimenta-do-reino a gosto

RENDIMENTO: Serve uns 6 "*brimos*".

MODO DE FAZER

KAFTA

Em uma tigela, misture bem todos os ingredientes. Coloque na geladeira para ficar mais consistente, por aproximadamente 1 hora.

MOLHO DE IOGURTE COM HORTELÃ

Em um recipiente, misture bem o iogurte e o azeite com a hortelã picada. Tempere com sal e pimenta.

MONTAGEM

Molde a *kafta* no espeto, com o tamanho da sua preferência. Você pode fazer porções bem pequenas, como se fosse um canapé, em porções individuais ou ainda montar em espeto grande para compartilhar.
A *kafta* fica mais saborosa se grelhada na churrasqueira. Mas se quiser ser mais prático, leve ao forno alto ou grelhe em uma frigideira antiaderente bem quente com um pouco de azeite. Sirva com o molho à parte.

STEAK TARTARE COM TORRADA DE PÃO ITALIANO

UM CLÁSSICO FRANCÊS SERVIDO NO PÃO ITALIANO. VAI TER *CHEF DE CUISINE* PEDINDO MINHA CABEÇA.

INGREDIENTES

250 g de filé-mignon limpo (ou patinho)
2 colheres (chá) de alcaparras bem picadas
2 colheres (chá) de pepino em conserva bem picado
3 colheres (chá) de cebola roxa bem picada
1 colher (sopa) de mostarda *dijon*
1 colher (sopa) de azeite
1 colher (chá) de molho inglês
1 colher (chá) de maionese
1 colher (chá) de ketchup
1 colher (chá) de conhaque
2 colheres (sopa) de cebolinha francesa picada
sal a gosto
torradas caseiras de pão italiano com aproximadamente 1 dedo de altura
pimenta tabasco a gosto (ou pimenta-do--reino preta moída na hora)
1 gema de ovo de codorna para cada torrada

DICA

A carne tem que ser bem fresca e estar resfriada. Você pode inclusive deixar no congelador por uns 15 minutos antes de iniciar o processo. Para que a carne se mantenha com cor viva e brilhante, o ideal é preparar esse prato em recipiente sobre banho-maria de gelo.

MODO DE FAZER

Pique a carne com a ponta da faca e misture todos os ingredientes delicadamente. Acerte o sal e a pimenta. Monte o *steak tartare* na torrada e finalize com a gema de ovo de codorna em cima.

RENDIMENTO: 3 a 4 unidades médias (depende do tamanho da torrada).

TULIPINHAS DE FRANGO COM MAIONESE RÚSTICA DE MOSTARDA

OK, OK... SEM FRESCURA, VAI! TRATA-SE DE FRANGO FRITO! E GARANTO QUE É BEM MAIS GOSTOSO QUE MUITA MARCA GRINGA DE *FAST-FOOD*.

INGREDIENTES

MAIONESE RÚSTICA DE MOSTARDA

3 gemas
1 colher (sopa) de mostarda de grãos
1 colher (sopa) de mostarda de Dijon
óleo de girassol até dar o ponto
sal e pimenta-do-reino a gosto

TULIPINHAS DE FRANGO

15 tulipinhas de frango
1 lata de cerveja
sal e pimenta-do-reino a gosto
500 g de farinha de trigo
3 a 4 ovos batidos
2 xícaras de farinha panko
500 ml de óleo para fritar

MODO DE FAZER

Solte a carne das coxas dos ossos, raspando-os com uma faca. Marine as tulipas na cerveja por, pelo menos, 30 minutos.
Enquanto isso, vá adiantando o preparo da maionese. Misture as gemas em um recipiente e adicione o óleo lentamente,

em fio, batendo sem parar até dar o ponto. Tempere com as duas mostardas, sal e pimenta. Reserve a maionese.
Voltando ao frango. Após marinar, coloque os frangos em uma peneira para escorrer o excesso de cerveja e tempere-os com sal e pimenta.

Para empanar, passe primeiro na farinha de trigo, depois nos ovos batidos, em seguida na farinha panko. Frite por imersão. Sirva com a maionese.

RENDIMENTO: 10 unidades para o estagiário, 2 para a secretária, 2 para o gerente de recursos humanos e apenas 1 para o diretor.

ESCONDIDINHO DE CARNE-SECA ACEBOLADA COM MANDIOQUINHA E CATUPIRY

TUDO ESCONDIDINHO É MAIS GOSTOSO! ESSA É UMA DAS PRIMEIRAS COISAS QUE DESCOBRIMOS DESDE MUITO CRIANÇA. ENTÃO, POR QUE NÃO APLICAR IDEIAS ESCONDIDINHAS NA COMIDA? FAÇA ESCONDIDINHO! RECOMENDO E "ADÓGO"! TAMBÉM PODE SER VEGETARIANO: É SÓ TROCAR A CARNE POR LEGUMES PICADOS E REFOGADOS.

INGREDIENTES

CARNE-SECA

400 g de carne-seca
1 cebola picada finamente
½ talo de alho-poró picado finamente
2 dentes de alho bem picados
2 colheres (sopa) de salsinha picada

PURÊ DE MANDIOQUINHA

700 g de mandioquinha
1 colher (sopa) de manteiga
sal a gosto para o cozimento
½ xícara de creme de leite

MONTAGEM

requeijão catupiry a gosto para cobrir o escondidinho
queijo parmesão a gosto para gratinar

MODO DE FAZER

CARNE-SECA

Dessalgue a carne deixando de molho e trocando a água de hora em hora por 4 a 5 vezes. Coloque a carne na panela de pressão e cubra com água. Cozinhe por aproximadamente 20 minutos ou até que fique bem macia. Escorra a água e espere esfriar um pouco.

DICA

Não descarte a água do cozimento. Ela pode ser utilizada para conferir mais umidade à carne no final do preparo, se necessário. O nome pode até ser carne-seca, mas após o preparo tem que ficar úmida e suculenta.

Desfie a carne ainda quente com a ajuda de um garfo. Retire o excesso de gordura. Refogue a cebola, o alho-poró e o alho em um fio de azeite. Em seguida, incorpore a carne desfiada, misture bem e coloque a salsinha. Reserve.

PURÊ DE MANDIOQUINHA

Descasque a mandioquinha e cozinhe na água com uma pitada de sal até que esteja bem macia. Escorra e passe as mandioquinhas em um amassador de legumes. Em uma panela, coloque a manteiga e a mandioquinha já amassada. Com um batedor manual, mexa bem e incorpore o creme de leite aos poucos até obter um purê liso e consistente.

MONTAGEM

Você pode montar em uma travessa grande ou em recipientes individuais, refratários, que possam ir ao forno. Monte em camadas colocando primeiro o purê, depois a carne-seca e por último cubra com o catupiry e coloque parmesão a gosto. Leve ao forno alto previamente aquecido até começar a borbulhar e o parmesão gratinar. Isso leva aproximadamente 20 minutos. Espere os elogios!

RENDIMENTO: Serve de 6 a 8 pessoas. Mas se o *happy hour* rolar até mais tarde, tem que dobrar a receita!

DICA

Para fazer o escondidinho, prefiro cozinhar a mandioquinha sem casca, para ela absorver mais água, pois quero que o purê fique bem cremoso. Quando cozinhamos um legume com a casca, ele absorve menos água, e a textura dele fica mais rústica, espessa.

CAMARÃO EMPANADO COM COCO E *CHUTNEY* DE ABACAXI COM PERA

INSPIRAÇÃO TAILANDESA PARA NOSSO *HAPPY HOUR*.

INGREDIENTES

CHUTNEY

½ cebola roxa picada
1 dente de alho picado
2 colheres (sopa) de manteiga sem sal
2 colheres (sopa) de pimentão amarelo em cubos pequenos
½ pimenta dedo-de-moça sem semente bem picada
½ abacaxi em cubos pequenos
3 peras em cubos pequenos
3 cravos-da-índia
½ xícara de açúcar mascavo
1 colher (sopa) rasa de curry em pó
3 colheres (sopa) de vinagre de maçã
uma pitada de pimenta-do-reino preta moída
uma pitada de sal

CAMARÃO EMPANADO

1½ xícara de farinha de trigo
3 ovos
2 xícaras de coco fresco ralado
óleo para fritar
12 camarões rosa grandes limpos

MODO DE FAZER

CHUTNEY

Refogue a cebola e o alho na manteiga. Coloque o pimentão, a pimenta dedo-de-moça, o abacaxi, a pera e os cravos e refogue por 5 minutos em fogo baixo. Adicione o açúcar, o curry, o vinagre, sal e pimenta. Continue cozinhando em fogo brando por mais 20 minutos. Desligue o fogo e espere esfriar. Guarde em um pote higienizado.

CAMARÃO EMPANADO

Enquanto o óleo aquece em uma panela podemos empanar os camarões. Passe os camarões primeiro na farinha de trigo, depois nos ovos e, por último, no coco. Frite-os por imersão em óleo quente (aproximadamente 190 °C). Escorra bem o óleo em papel-toalha. Sirva acompanhado do *chutney*. Devore sem moderação!

RENDIMENTO: 12 camarões.

DICA

A receita acima dá um aspecto rústico para o *chutney*. Se quiser que fique mais liso, retire os 3 cravos-da-índia e bata no liquidificador.

PUDIM ALEMÃO DA HELÔ

ESTA RECEITA MARCOU DEMAIS A MINHA INFÂNCIA. NOSSA MÃE CHAMAVA ESSA SOBREMESA DE PUDIM ALEMÃO. É UMA RECORDAÇÃO QUE FICARÁ MARCADA PARA SEMPRE: NO PENSAMENTO, NO PALADAR E NO CORAÇÃO. CERTAMENTE MINHA MÃE, DONA HELOÍSA, MINHA MAIOR MENTORA, E MEUS IRMÃOS ESTÃO FELIZES COM ESTA HOMENAGEM. PEDI PERMISSÃO A ELA LÁ NO CÉU E FIZ UM SUTIL INCREMENTO NA RECEITA, SEM PERDER AS RAÍZES: APENAS ADICIONEI AS SEMENTES DA FAVA DE BAUNILHA E LEVEI AO FOGO PARA LIBERAR O PERFUME. NÃO PRECISA NEM FERVER: QUANDO AS BOLHAS NA BORDA DA PANELA COMEÇAREM A APARECER, JÁ PODE DESLIGAR O FOGO.

INGREDIENTES

CALDA

1 copo de vinho tinto
4 colheres (sopa) de açúcar
canela em pau a gosto

PUDIM

5 folhas de gelatina incolor
água filtrada para hidratar
1 lata de leite condensado
1 lata de creme de leite
1 lata (use a medida da lata de creme de leite) de leite fresco
1 fava de baunilha (opcional)

DICA

Para a decoração, você pode fazer ninhos de caramelo momentos antes de servir a sobremesa. Basta colocar 1 xícara de açúcar em uma panela em fogo baixo e deixar derreter. Mexa aos poucos, trazendo da borda para o centro da panela. Cuidado para não deixar queimar. Quando o açúcar se transformar em caramelo, espere esfriar até que fique no ponto ideal para que estique e forme fios bem finos. Se solidificar, é só voltar para o fogo, com cuidado. Com um garfo ou um batedor manual, puxe os fios de caramelo da panela e faça ninhos com as mãos. Faça esse procedimento na hora de servir, pois o caramelo pega umidade facilmente.

MODO DE FAZER

CALDA

Misture todos os ingredientes e leve ao fogo até ferver e evaporar o álcool do vinho. Na receita original a calda é bem rala mesmo. Se quiser deixar mais espessa, dissolva ⅓ de xícara de água em 1 colher (café) de amido de milho e incorpore na calda.

PUDIM

Deixe a gelatina de molho na água fria para hidratar. Em uma panela, aqueça o leite condensado, o creme de leite, o leite e as sementes da fava de baunilha. Adicione a gelatina e mexa até dissolver. Bata tudo no liquidificador, coloque em taças individuais e leve à geladeira. Sirva com a calda de vinho e canela.

RENDIMENTO: 6 pudinzinhos individuais.

CREME DE GOIABA COM CASSIS E TELHA CROCANTE

INSPIRADO NO CLÁSSICO CREME DE PAPAIA COM CASSIS.

INGREDIENTES

CREME DE GOIABA

3 goiabas maduras sem casca
¾ de xícara de leite integral (ou leite de castanha-de-caju)
4 bolas de sorvete de creme

CALDA DE CASSIS

1 colher (sopa) rasa de amido de milho diluído em um pouco de água
1 xícara de licor de cassis

TELHA CROCANTE

½ xícara de açúcar
2 colheres (sopa) de farinha de amêndoas
1½ colher (sopa) de farinha de trigo
2 colheres (sopa) de manteiga derretida
2 colheres (sopa) de licor de laranja
2 colheres (sopa) de castanhas trituradas (use a castanha de sua preferência)

MODO DE FAZER

CREME DE GOIABA

Bata no liquidificador as goiabas com o leite frio. Coe para tirar as sementes e coloque na geladeira por 2 horas. Misture com o sorvete de creme e bata novamente no liquidificador até ficar homogêneo. Mantenha em um recipiente no freezer até a hora de servir.

CALDA DE CASSIS

Misture o amido dissolvido em água com o licor de cassis e leve ao fogo. Quando levantar fervura, reduza o fogo e conte 1 minuto, para que evapore o álcool. Tire do fogo e espere esfriar.

TELHA CROCANTE

Misture o açúcar, as duas farinhas, a manteiga derretida e o licor em uma tigela. Mexa bem. Inclua as castanhas trituradas. Vai ficar uma pasta. Deixe descansar na geladeira por 1 hora antes de usar. Use um tapete de silicone para assar as telhas. Se vc não tiver, forre com papel-manteiga ou use uma assadeira antiaderente. Com uma colher, abra a massa em pequenos discos e leve ao forno a 180 °C por aproximadamente 20 minutos ou até que fiquem douradas. Quando retirar do forno, as telhas ainda estarão moles; nesse momento você pode manuseá-las e brincar para deixá-las em formatos curvos, diferentes. Após alguns minutos, quando esfriarem, ficarão crocantes e prontas para uma decoração linda e comestível! Reserve para o momento de servir a sobremesa.

PARA A MONTAGEM

Minha sugestão é tirar o creme de goiaba do freezer uns 10 minutos antes de servir e bater com um batedor manual, ou então novamente no liquidificador, para obter cremosidade e consistência. Em uma bonita taça, coloque o creme de goiaba e a calda de cassis por cima. Decore com a telha de castanhas.

RENDIMENTO: Serve 4 pessoas.

CINEMA EM CASA

PARA ENCHER OS OLHOS E AGUÇAR O PALADAR

Como era show ir na locadora alugar cinco fitas VHS na sexta-feira e passar o fim de semana na frente da TV!

Agora, com tanta série disponível em plataformas de *streaming*, esse programa ficou melhor ainda!

Para acompanhar, a gente pode vestir os pijamas, aquela meia surrada, pegar um "refri" e a pipoca!

Aqui no livro, você vai encontrar algumas receitas clássicas, mas inovadoras.

"Bora" chamar a vizinha, o namorado, os amigos, os pais, o cachorro, o gato, o papagaio...

Vamos todo mundo para a sessão de cinema em casa!

PIPOCAS

APRENDI A FAZER PIPOCA DOCE COM MINHA AVÓ LANDA QUANDO EU TINHA UNS 6 ANOS DE IDADE, UMA DE MINHAS PRIMEIRAS LEMBRANÇAS NA COZINHA. NÃO CONHEÇO NINGUÉM QUE NÃO GOSTE DE PIPOCA. NADA SUBSTITUI ESSA TRADIÇÃO EM UMA "*SESSION*" DE CINEMA! ATÉ FILME RUIM FICA BOM COM PIPOCA!

UMA PIPOCA DE PANELA, BEM FEITA, EXIGE CUIDADO E ATENÇÃO NO PREPARO PARA NÃO QUEIMAR E FICAR NO PONTO CERTO. QUER VER?

PIPOCA DE CARAMELO COM FLOR DE SAL

INGREDIENTES

¾ de xícara de milho para pipoca (de preferência orgânico, pois a maioria dos milhos no mercado são transgênicos. Dá um *look* no rótulo antes de comprar!)
1 xícara de açúcar demerara
½ xícara de óleo de canola (não transgênico)
1 colher (café) de extrato natural de baunilha (opcional)
uma pitada de flor de sal

MODO DE FAZER

Em uma panela grande, coloque o milho, o açúcar, o óleo e o extrato de baunilha. Mexa bem, leve ao fogo médio e tampe a panela. Com a ajuda de um pano, para não queimar as mãos, segure a tampa e mexa de vez em quando a panela. **Não abra a tampa**! Quando começar a estourar a pipoca, baixe o fogo. Siga mexendo sempre a panela, de um lado para o outro, de cima para baixo, sempre segurando firme com o pano para que a tampa não abra! Esse processo é importante para misturar bem o caramelo com a pipoca.

Quando a pipoca estiver pronta, salpique a flor de sal imediatamente e misture bem! Pegue seu "refri" e... bom filme!

DICA

Cuidado para não se queimar: o caramelo atinge mais de 170 °C. Só abra a panela quando tiver certeza de que todas as pipocas estouraram.

RENDIMENTO: Sugiro uma receita dessa para cada cinéfilo.

PIPOCA DE KRIPTONITA

INGREDIENTES

1 xícara de milho para pipoca
2 colheres (sopa) de óleo de coco (ou óleo não transgênico)
1 xícara de chocolate branco picado
1½ colher (sopa) de chá verde solúvel em pó (*matchá*)

MODO DE FAZER

Em uma panela grande, prepare a pipoca no óleo e espere esfriar. Leve o chocolate branco para derreter no micro-ondas em potência média, mexendo a cada 30 segundos. Misture o chocolate derretido com o chá verde solúvel. Em seguida, misture com a pipoca e espalhe em uma assadeira até o chocolate cristalizar. Evite empilhar para que as pipocas fiquem mais soltinhas.

RENDIMENTO: No máximo 2 loucos por receita.

DOCE CAFÉ

GOSTA DE CAFÉ MAS QUER FAZER ALGO DIFERENTE DO CONVENCIONAL? ENTÃO ESTA RECEITA É PARA VOCÊ! ELA DEIXA LIGADO E VAI ADOÇAR SEU CINEMA PARTICULAR.

INGREDIENTES

1 dose de café expresso
1 colher (chá) de licor de sua preferência
doce de leite a gosto

MODO DE FAZER

Decore uma xícara de café ou a taça de sua preferência com bastante doce de leite passando até na borda. Coloque primeiro o licor e depois extraia o café na máquina. O licor e o café expresso vão se misturar naturalmente no momento da extração.

RENDIMENTO: 1 drink de café.

DICA

Se não tiver uma máquina portátil de café expresso, faça com café coado. Sem *stress*!

MY PINK LEMONADE

O NOME EM PORTUGUÊS QUER DIZER "LIMONADA ROSA". É MUITO COMUM NOS ESTADOS UNIDOS, REDUTO DOS *BLOCKBUSTERS*. REFRESCANTE, LEVE, DIVERTIDA E NÃO ALCOÓLICA, É ÓTIMA PARA ENTRAR NA *VIBE* DO SEU FILME PREFERIDO.

INGREDIENTES

½ xícara de purê de morango (polpa congelada batida e peneirada)
100 ml de suco limão-siciliano
200 ml de *syrup* (ver receita na página 48)
100 ml de água
gelo

MODO DE FAZER

Misture todos os ingredientes e coloque nos copos com bastante gelo e uma rodela de limão-siciliano.

RENDIMENTO: 2 copos.

DICA

Pode substituir o purê de morango por purê de framboesa, suco de *cranberry* ou groselha.

TOAST DE BRIE COM ABOBRINHA E MEL

AS *TOASTS* ESTÃO EM ALTA! SERVIDAS EM APRESENTAÇÃO CONTEMPORÂNEA, SÃO UMA OPÇÃO VERSÁTIL QUE QUALQUER UM PODE FAZER EM CASA COM O REAPROVEITAMENTEO DE INGREDIENTES. BASTA RASPAR A GELADEIRA E PEGAR AQUELE PÃO DO DIA ANTERIOR. FÁCIL E GOSTOSA PARA ACOMPANHAR SEU CINE-*PRIVÉ*, ESTA TORRADA DE *BRIE* COM ABOBRINHA NÃO TEM EFEITOS ESPECIAIS MAS TEM UM RAIO GOURMETIZADOR FENOMENAL.

INGREDIENTES

PICLES CASEIROS DE CEBOLA ROSA

12 cebolas pérola
200 ml de vinagre de maçã
200 ml de suco de beterraba peneirado
2 colheres (sopa) de açúcar
2 pitadas de sal
1 anis estrelado

TOAST

1 abobrinha laminada finamente
suco de 1 limão-siciliano
1 colher (chá) de sementes de erva-doce
3 colheres (sopa) de mel
4 colheres (sopa) de azeite extra virgem
2 fatias de pão artesanal
100 g de queijo brie fatiado
2 colheres (sopa) de castanhas picadas rusticamente
sal a gosto
pimenta calabresa (bem pouco)

MODO DE FAZER

PICLES CASEIROS DE CEBOLA ROSA

Em um recipiente, junte todos os ingredientes e deixe na geladeira pelo período mínimo de 24 horas. A cebola vai ficar rosada, crocante e com sabor e textura incrível.

DICA

Com essa receita de picles dá para fazer muitas torradas. Entretanto, caso sobre, sugiro consumir tomando uma bela cerveja encorpada. Também fica perfeito no arroz e feijão ou com a receita de escabeche de sardinha na página 139.

TOAST

Coloque o forno para aquecer em alta temperatura. Marine a abobrinha no suco de limão com a erva-doce, metade do mel e metade do azeite; lembre que o picles também já precisa estar pronto pois foi feito no dia anterior. Enquanto isso, inicie o preparo das *toasts*. Em uma assadeira, coloque o pão artesanal, regue cada fatia com um fio de azeite e coloque o queijo brie por cima. Leve ao forno rapidamente até o brie começar a derreter. Tire do forno, coloque o picles, a abobrinha marinada e regue com o restante do azeite e do mel. Coloque as castanhas, um pouquinho de sal e pimenta calabresa, bem pouco! Não é ficcção científica, é comida da vida real!

RENDIMENTO: *Two toasts, my friend*!

PANQUECA DE BANANA CARAMELADA COM CALDA DE MARACUJÁ E SORVETE DE FLOCOS DE NUTELLA

VOU CONFESSAR UMA COISA, EU NÃO CURTO MUITO BANANA, MAS RESOLVI DEIXAR MEU PRECONCEITO DE LADO. SE NÃO FOSSE PELA LÍGIA, NOSSA ETERNIZADA CHEF DE CONFEITARIA, INSISTIR PARA EU COLOCAR ESTA RECEITA NO LIVRO, OS LEITORES NÃO FICARIAM COM TANTA ÁGUA NA BOCA. MUITO OBRIGADO, LÍGIA, POR CONTRIBUIR TAMBÉM COM NOSSA SUPER-SESSÃO-DE-CINEMA!

INGREDIENTES

PANQUECA DOCE

5 colheres (sopa) de farinha de trigo (se quiser usar outra farinha, como a de arroz ou de amêndoas, que não tem glúten, fique super à vontade. Também ficará *delicious*!)
¾ de xícara de leite integral
2 colheres (sopa) de açúcar demerara
1 colher (chá) de extrato natural de baunilha
2 ovos

RECHEIO

¾ de xícara de açúcar demerara
3 bananas fatiadas na diagonal (sem casca)
1 colher (chá) de manteiga
2 maracujás (sem casca, apenas a polpa com sementes)

SORVETE DE FLOCOS DE NUTELLA

4 bolas de sorvete de creme
4 colheres (chá) de Nutella

MODO DE FAZER

PANQUECA DOCE

Bata todos os ingredientes no liquidificador. Unte o fundo de uma frigideira antiaderente com um pouquinho de manteiga e leve ao fogo médio. Despeje uma quantidade de massa suficiente para preencher todo o fundo. Espere até soltar as bordas e dourar a parte de baixo. Vire a panqueca e doure também do outro lado. Repita o processo até acabar toda a massa. Reserve em temperatura ambiente.

RECHEIO

Coloque o açúcar em uma panela e leve ao fogo baixo até formar um caramelo. Em seguida, coloque as bananas cortadas na diagonal, incorpore a manteiga e o maracujá com as sementes. Mexa com cuidado e vire as bananas até que estejam macias. Reserve.

SORVETE DE FLOCOS DE NUTELLA

Tire 4 bolas de sorvete de creme do freezer e aguarde de 5 a 10 minutos para o sorvete amolecer um pouco. Em uma tigela, misture o sorvete e a Nutella grosseiramente com uma colher. Não precisa misturar demais, pois é para ficar com flocos de Nutella no meio do sorvete. Retorne para o freezer para firmar novamente. Aguarde 1 hora para montar as panquecas.

MONTAGEM

Recheie as panquecas com a banana caramelada e o maracujá. Sirva o sorvete à parte no mesmo prato.

RENDIMENTO: 2 a 3 sobremesas.

CHOCO-*WAFFLE* DE CARAMELO

SABE AQUELE CHOCOLATE CLÁSSICO QUE TEM CARAMELO E *WAFFLE*, QUE QUANDO VOCÊ CHEGA NO CINEMA JÁ SENTE VONTADE DE COMER? PARECE ALGO IMPOSSÍVEL DE SE FAZER EM CASA, MAS NÃO É E EU VOU PROVAR PARA VOCÊ! AS PLACAS DE *WAFFLE* PODEM SER COMPRADAS NOS MERCADOS E O RECHEIO... AAAAH, ESSA É A MELHOR PARTE. EU TE ENSINO!

INGREDIENTES

GANACHE DE CHOCOLATE

1 xícara de creme de leite fresco
2 xícaras (chá) de chocolate meio amargo bem picado

CARAMELO

1¼ de xícara de creme de leite fresco
1 xícara de açúcar
1 colher (sopa) de manteiga
2 colheres (sopa) de água

MODO DE FAZER

GANACHE DE CHOCOLATE

Ferva o creme de leite e adicione ao chocolate bem picado. Misture bem até ficar homogêneo e reserve em geladeira.

CARAMELO

Coloque o creme de leite fresco em uma panela para ferver. Em outra panela, misture o açúcar com a manteiga e a água, leve ao fogo médio-baixo para derreter. **É importante que essa panela na qual vamos fazer o caramelo seja alta**! Mexa de vez em quando para não queimar até atingir a cor de caramelo. Despeje aos poucos o creme de leite fervente na panela do caramelo. Nesse momento a mistura sobe bastante, cuidado! Depois de adicionar todo o creme de leite, deixe no fogo por mais uns 2 minutos. Espere esfriar um pouco e bata em uma batedeira até formar bolhas de ar e o caramelo clarear um pouco. Reserve em geladeira até esfriar.

MONTAGEM

Pegue as placas de *waffle* e recheie com o caramelo e chocolate alternados.

RENDIMENTO: Serve uma sessão *private* de umas 8 pessoas.

BANQUETE VEGANO

PARA MISTURAR SABOR COM LEVEZA

Não sou vegano, mas, de certa forma, tenho acompanhado o veganismo nos últimos anos e tenho grande prazer com a comida vegana. Por isso, não seria possível escrever meu primeiro livro sem esse tema.

O interessante é que esse caminho vem acontecendo naturalmente, talvez por influência da meditação, da qual sou praticante. Também pode ser a influência dos sábios gurus indianos que tive o privilégio de conhecer ao realizar alguns cursos.

Às vezes passo dias sem comer carne e me sinto muito disposto, pois minha digestão fica mais leve e os legumes e verduras contém muitos nutrientes.

SINTO QUE NÓS, SERES HUMANOS, ESTAMOS CAMINHANDO PARA UM DESPERTAR DA CONSCIÊNCIA. E creio que uma provável minoria concorde com o que pressuponho: em um futuro, ainda bem distante, animais e humanos vão conviver em perfeita harmonia. A alimentação sofrerá uma evolução de forma que não precisaremos mais matar animais para nos alimentar. É um processo muito lento, que já se iniciou, mas que vai levar centenas, talvez milhares de anos para se completar.

EXPLOSÃO DE *UMAMI*

TAMBÉM CONHECIDA POR *UMAMI BOMB*! EXISTE MUITO SABOR NO REINO DOS VEGETAIS. VOU MOSTRAR UMA TÉCNICA DE PREPARAÇÃO DE UM CALDO BEM SABOROSO, COM MUITO *UMAMI* CONCENTRADO. PODE SER UTILIZADO PARA PREPARAR VÁRIOS PRATOS, É UMA BOMBA DE SABOR!

***UMAMI* É UMA PALAVRA JAPONESA QUE SIGNIFICA "DELICIOSO". TAMBÉM É CONHECIDO COMO O QUINTO SABOR, OU SEJA, O EQUILÍBRIO PERFEITO ENTRE O AMARGO, O ÁCIDO, O DOCE E O SALGADO.**

QUANDO COMEMOS UM ALIMENTO QUE TEM GRANDE CONCENTRAÇÃO DE *UMAMI*, O SEU SABOR É POTENCIALIZADO E A BOCA SALIVA MUITO MAIS QUE O NORMAL! SEM FALAR NO PRAZER QUE TEMOS EM DEGUSTAR ESSE DELICIOSO PRATO.

PARA SEU CONHECIMENTO: COGUMELOS, TOMATES, ASPARGOS, CEBOLAS, BRÓCOLIS E ALGAS *KOMBU* SÃO MUITO RICOS EM UMAMI.

INGREDIENTES

1 cebola
1 beterraba pequena
2 cenouras
1 berinjela pequena
1 xícara de cogumelos *shitake* secos (ou *funghi*)
⅓ de brócolis médio
⅓ de couve-flor médio
1 folha de alga *kombu*
2 colheres (sopa) de extrato de tomate
azeite de oliva
1 litro de água mineral (ou até que os vegetais fiquem cobertos)
1 colher (café) rasa de ágar-ágar (opcional)

Kombu é uma alga muito utilizada na culinária japonesa, principalmente na produção de caldos, que são extremamente saborosos. Ela passa por um processo de secagem para que o sabor fique mais concentrado e ela possa ser estocada por maior tempo. É cultivada principalmente em Hokkaido, uma ilha do Japão.

Recomendo o uso dessa alga para que a Explosão de *umami* fique ainda mais maravilhosa. Caso não encontre facilmente, pode preparar sem, garanto que o sabor também vai ficar incrível!

MODO DE FAZER

Lave os legumes. Não precisa tirar a casca deles. Corte finamente todos os vegetais. Para isso, pode usar uma mandolina. Coloque os legumes na assadeira, adicione o extrato de tomate e o azeite. Mexa bem. Leve ao forno médio-alto por 50 a 60 minutos, até que os legumes fiquem escuros e caramelizados. Tire do forno. Nesse momento todos os legumes devem estar com um delicioso sabor tostado. Depeje a água mineral na própria assadeira e, com uma colher ou espátula, raspe bem o fundo dela. Volte ao forno na mesma temperatura por 30 minutos. Peneire espremendo bem os legumes para extrair todo líquido existente. Coloque o líquido em uma panela em fogo bem baixo, e reduza por mais uns 10 minutos para que fique mais concentrado. Prove a potência de sabor desse delicioso caldo. Ele será usado na próxima receita. Se quiser espessar o molho, utilize o ágar-ágar.

RENDIMENTO: 1,5 kg de legumes rendem aproximadamente 300 ml de caldo.

FETTUCCINE À BOLONHESA VEGANO

O FETTUCCINE DE PUPUNHA JÁ É UM CLÁSSICO, NÃO CONTÉM GLÚTEN E É SAUDÁVEL. MAS CASO PREFIRA, COZINHE O MACARRÃO VEGANO DE SUA PREFERÊNCIA. PARA FAZER O FETTUCCINE, CORTE A PUPUNHA EM SENTIDO LONGITUDINAL COM UMA MANDOLINA. NESTA RECEITA DE MOLHO BOLONHESA VEGANO NÃO VAI SOJA E FICA COM O ASPECTO E O SABOR MUITO PARECIDO COM O TRADICIONAL.

APENAS RECOMENDO QUE, SE VOCÊ FOR SERVIR NO ALMOÇO DE FAMÍLIA PARA AQUELE TIO SUPERCONSERVADOR – SABE QUAL? AQUELE QUE SENTA NA PONTA DA MESA E QUE NÃO SE PREOCUPA MUITO COM A EDUCAÇÃO! –, SUGIRO QUE VOCÊ NÃO CONTE PARA ELE QUE NÃO TEM CARNE MOÍDA. FALE SOMENTE DEPOIS QUE ELE COMER TUDO E REPETIR.

INGREDIENTES

6 tomates sem semente cortados ao meio
azeite a gosto
sal e pimenta-do-reino a gosto
folhas de manjericão a gosto
½ berinjela bem picada
½ pimentão verde em pequenos cubos
1 bandeja de cogumelos *shimeji* bem picados
1 cebola roxa bem picada
2 dentes de alho ralados
½ xícara de azeitonas pretas sem caroço e picadas
1 colher (sopa) de vinagre balsâmico
½ concha de Explosão de *umami* (ver receita na página 213)
1 lata de tomate pelado
2 bandejas de fetuccine de pupunha

MODO DE FAZER

Leve os tomates ao forno bem alto para assar por 20 a 30 minutos com azeite, sal e manjericão. Ele pode ficar braseado, mas cuidado para não queimar. Enquanto os tomates assam, refogue a berinjela, o pimentão, o *shimeji*, a cebola, o alho e as azeitonas, tudo junto, lembrando que os legumes já devem ser previamente bem picados antes de começar a refogar. Siga refogando os legumes por aproximadamente 15 minutos em fogo médio-alto, até que fiquem bem tostados e de cor escura. Adicione o balsâmico. Tire os tomates do forno, espere esfriar um pouco e retire a pele, corte rusticamente e junte com os legumes refogados. Adicione ½ concha do caldo Explosão de umami e refogue por mais 5 minutos. Adicione o tomate pelado e deixe em fogo baixo para apurar o sabor e reduzir até o molho ficar consistente. Quanto mais lentamente reduzir o molho, mais saboroso e menos ácido ele fica.

DICA

A berinjela e o tomate pelado já têm muita semente, por isso recomendo tirar a semente dos tomates frescos antes de ir ao forno.

Em uma panela com água fervente e sal, coloque o fettuccine de pupunha por 2 a 3 minutos. Sirva no prato ou travessa, com o molho bolonhesa vegano por cima. Sirva com parmesão vegano (veja receita na página 230).

RENDIMENTO: Serve 8 pessoas.

MILHO BRASEADO COM MAIONESE VERDE DE ABACATE COM ERVAS

SINCERAMENTE, NÃO CONHEÇO NINGUÉM QUE NÃO GOSTE DE MILHO. MAS O CHARME DESTA RECEITA ESTÁ NA "MAYUCA" DE ABACATE PERFUMADA COM ERVAS. ESTA RECEITA SERVE COMO UM ACOMPANHAMENTO PERFEITO PARA SANDUÍCHES.

INGREDIENTES

4 espigas de milho previamente cozidas
1 abacate sem caroço e sem casca
1 colher (sopa) de suco de limão
3 colheres (sopa) de azeite extra virgem
2 colheres (sopa) de salsa picada
1 colher (sopa) de alecrim picado
1 colher (café) de mostarda
uma pitada de sal
páprica picante a gosto

MODO DE FAZER

Coloque o milho já cozido na churrasqueira ou em uma frigideira bem quente e grelhe todos os lados. Enquanto isso, prepare a maionese. Amasse bem o abacate com um garfo. Misture bem com o suco de limão, o azeite, a salsa, o alecrim, a mostarda e o sal. Sirva as espigas com a maionese e salpique páprica picante.

RENDIMENTO: Serve 4 pessoas.

FEIJUCA DE VEGETAIS DO PASSARINHO

NÃO É COMIDA DE PASSARINHO, OK!? ESSE PRATO É PARA QUEM GOSTA DE COMER BEM.

É UMA HOMENAGEM A UM GRANDE AMIGO QUE TEM O APELIDO DE PASSARINHO E GOSTA DE COZINHAR. ELE PREPAROU ESSE PRATO PARA SUA MULHER, QUE É VEGANA.

USEI DE INSPIRAÇÃO PARA FAZER A MINHA RECEITA. SEI QUE VAI TER UM MONTE DE GENTE RECLAMANDO E DIZENDO QUE ISSO NÃO É FEIJOADA, QUE É "SÓ" UM COZIDO DE LEGUMES, QUE FEIJOADA TEM QUE TER CARNE DE PORCO... ENFIM, PODE DAR OUTRO NOME, MAS O IMPORTANTE É QUE FICA SUPERAPETITOSO!

ALIÁS, ESTE PRATO TEM MUITA PROTEÍNA VEGETAL E, ALÉM DO MAIS, VOCÊ NÃO FICA "CONVERSANDO" COM ESSA "FEIJUCA" POR HORAS E HORAS. E, COMO TODA BOA FEIJOADA QUE SE PREZE, O PREPARO COMEÇA NA VÉSPERA E DEVE SER FEITA EM UMA PANELA GRANDE. OLHA SÓ QUANTO INGREDIENTE FANTÁSTICO!

INGREDIENTES

FEIJUCA

2 xícaras de feijão preto
12 xícaras de água para cozinhar o feijão
1 xícara de cogumelos *shitake* secos
½ xícara de pimentão vermelho em pequenos cubos
1 bandeja de cogumelos paris frescos
1 berinjela média em cubos
¼ de abóbora japonesa em cubos
½ nabo médio em cubos
1 cenoura em cubos
1 batata em cubos
1 bandeja de tofu orgânico defumado cortado em cubos
¾ de xícara de azeite
3 dentes de alho sem casca
2 cebolas picadas rusticamente
3 folhas de louro
alguns ramos de salsinha inteiros
alguns talos de cebolinha inteiros
sal a gosto
caldo de legumes natural (caso necessário)
fumaça líquida caseira (ver receita na página seguinte)

FUMAÇA LÍQUIDA CASEIRA

4 colheres (sopa) de óleo de gergelim torrado
2 colheres (sopa) de vinagre de vinho tinto
2 colheres (sopa) de *shoyu* de coco (se não encontrar, pode usar o *shoyu* tradicional)
2 colheres (sopa) de páprica defumada
1 colher (chá) de semente de mostarda
½ colher (sopa) de pimenta calabresa
1 xícara de azeite
uma pitada de sal

MODO DE FAZER

PREPARO DA VÉSPERA

Misture todos os ingredientes da fumaça líquida em um recipiente. Reserve.
Deixe o feijão de molho em água. Hidrate os cogumelos *shitake*. Não jogue fora a água dos cogumelos! Misture o pimentão, o cogumelo paris, a berinjela, a abóbora, o nabo, a cenoura, a batata e o tofu na fumaça líquida caseira. Deixe na geladeira em um recipiente fechado de um dia para o outro. Mexa com amor e cuidado de vez em quando para que os sabores se misturem.

DICA

SOBRE O SABOR DEFUMADO DA NOSSA FEIJOADA

Para a feijoada vegana ficar fenomenal, precisamos adicionar aquele gostinho defumado e o caminho mais fácil é comprar fumaça líquida já pronta. Entretanto, esse é um ingrediente polêmico, pois a fumaça líquida é um extrato proveniente da condensação da queima de madeira, geralmente do eucalipto ou da cerejeira. Existem estudos que dizem que a fumaça líquida não é recomendada à saúde, porque contém alcatrão e outras substâncias difíceis até de pronunciar o nome. Sinceramente, nunca vi nenhum atestado de óbito em que a *causa mortis* seja ingestão de fumaça líquida. Se você não se importar, se for usar de vez em quando esse ingrediente, vá em frente: compre a tal da fumaça líquida já pronta.
Mas atendendo a pedidos de amigos e amigas veganas, segue uma sugestão de fumaça líquida para fazer em casa. Para usar a fumaça líquida caseira, você deve seguir o passo a passo da receita.
Se você preferir usar a fumaça pronta, vai perceber que ela é mais potente. Também deve ser adicionada direto no caldo do feijão quando já estiver com todos os legumes. Porém, vá com calma porque é bem forte!

DICA

Para deixar o tofu mais firme, tire-o da embalagem e coloque papel-toalha embaixo e em cima dele, com um peso. Esse processo fará com que perca um pouco de sua água e o deixará mais consistente.

PREPARO DO DIA

Em uma panela de pressão grande, aqueça o azeite e doure o alho, a cebola e o pimentão. Coloque a água dos cogumelos previamente hidratados, raspe bem o fundo da panela, transfira tudo para um recipiente e reserve. Adicione o feijão, a água, as folhas de louro, a salsinha e a cebolinha. Tampe a panela e cozinhe o feijão. Quando começar a ouvir o barulho da pressão, cozinhe por 15 a 20 minutos. Tire do fogo. Espere sair a pressão e abra a tampa. Dependendo do tamanho da sua panela de pressão, talvez seja necessário você transferir o feijão cozido e o caldo para uma panela maior. Adicione o pimentão, a berinjela, a abóbora, o nabo, a cenoura, a batata e a fumaça líquida caseira. Complete com o caldo de legumes, se necessário, até cobrir todos os ingredientes e cozinhe por 10 minutos com a tampa da panela entreaberta. Logo depois, adicione os *shitakes* hidratados, os cogumelos paris e o tofu defumado. Cozinhe por mais 10 minutos ou até que todos os legumes estejam completamente cozidos. Desligue o fogo e espere um pouco para os sabores se concentrarem. A fumaça líquida tem coloração avermelhada e vai subir à superfície; com uma concha retire o excesso. Se necessário, adicione mais caldo de legumes natural. Os legumes devem absorver o caldo e preservar sua consistência, sem desmanchar.

ACOMPANHAMENTOS SUGERIDOS PARA A FEIJOADA VEGANA

Farinha de mandioca refogada com azeite e pedacinhos de cebola
Couve fatiada finamente e refogada
Arroz branco ou integral, feito na hora
Gomos de laranja
Alho assado

RENDIMENTO: Serve 10 sortudos.

CARPACCIO DE ABOBRINHA E CENOURA AO MOLHO DE LIMÃO-GALEGO

RECEITA DESCOMPLICADA, SAUDÁVEL E DE CORES VIBRANTES. SE VOCÊ CONSEGUIR FAZER A RECEITA COM LEGUMES ORGÂNICOS, NÃO PRECISARÁ TIRAR A PELE.

INGREDIENTES

CARPACCIO

1 cenoura
1 abobrinha

MARINADA

4 colheres (sopa) de azeite
suco de 1 limão-galego
sal e pimenta a gosto

MOLHO MOSTARDA

¾ de xícara de azeite
1 colher (sopa) de mostarda
suco de ½ limão-galego
uma pitada de sal

PARA FINALIZAR

½ xícara de manjericão verde
½ xícara de manjericão roxo
4 colheres (sopa) de pignoli
sal a gosto
pimenta rosa a gosto
parmesão vegano a gosto

MODO DE FAZER

Corte a cenoura e a abobrinha finamente com a ajuda de uma mandolina. Caso não tenha, pode cortar com a faca, mas os cortes não ficam tão precisos e saem mais grossos. Em um recipiente, misture a abobrinha e a cenoura laminadas com os ingredientes da marinada. Misture delicadamente e monte no prato.

FINALIZAÇÃO

Misture todos os ingredientes do molho e regue por cima do *carpaccio* já montado. Finalize com as folhas de manjericão, os pignoli, o sal, a pimenta rosa e o parmesão vegano (ver receita na página 230).

RENDIMENTO: 4 porções.

OS QUEIJOS VEGANOS

DIFÍCIL PARA MIM, QUANDO DECIDO VIVER UNS DIAS NA *VIBE* DO VEGANISMO, NÃO É ABDICAR DA CARNE E DO PEIXE, MAS SIM ABRIR MÃO DOS QUEIJOS. NÃO CONSIGO VIVER A VIDA SEM O GORGONZOLA, O PARMESÃO E A MOZARELA DERRETIDA!

PARMESÃO VEGANO

DIFERENTE E SABOROSO. IDEAL PARA ACOMPANHAR SALADAS E MASSAS VEGANAS EM GERAL.

INGREDIENTES

½ xícara de castanha-do-pará (também pode ser amêndoas ou castanha-de-caju)
2 colheres (sopa) rasas de levedura nutricional (ou levedo de cerveja, que é um pouco mais amargo)
½ colher (chá) de alho em pó
½ colher (chá) de semente de mostarda
½ colher (chá) de sal

MODO DE FAZER

Bata no modo pulsar do liquidificador ou processador, aos poucos. Cuidado! É para virar pó e não pasta. Queremos uma textura parecida com a de queijo parmesão ralado.

RENDIMENTO: 5 porções.

MOZARELA VEGANA

E POR FALAR EM MOZARELA DERRETIDA... MINHA AMIGA, SUZAN ZACCHI, GENTILMENTE ME DEU ESSA RECEITA DE MOZARELA VEGANA DE PRESENTE. É SURPREENDENTE, ACOMPANHA QUALQUER SANDUBA. MAS O MELHOR MESMO É COMER PURA, COMO AQUELES ESPETINHOS DE QUEIJO NA BRASA QUE VENDEM NA PRAIA.

INGREDIENTES

1 xícara de batata cozida em ponto de purê, bem liso
¾ de xícara de mandioquinha cozida em ponto de purê, bem liso
1 colher (sopa) de azeite
1 xícara de polvilho doce
1 xícara de polvilho azedo
1 colher (sopa) de levedura nutricional
sal e pimenta-do-reino a gosto

MODO DE FAZER

O ideal é fazer essa receita com os purês ainda mornos, logo após cozinhar a batata e a mandioquinha e espremê-las.
Em uma panela, coloque os purês, o azeite, os polvilhos doce e azedo, a levedura, o sal e a pimenta. Leve ao fogo mexendo sempre, até que o polvilho cozinhe e fique uma mistura firme e homogênea. Isso leva uns 10 minutos. Caso a massa fique muito dura para misturar, acrescente aos poucos colheradas de água, para que os purês e o polvilho misturem mais facilmente. Espere esfriar e guarde na geladeira em uma vasilha ou fôrma até a hora do uso.
Você pode cortar em fatias e servir com um sanduba vegano, ou então grelhar e fazer um delicioso "queijo quente", e também comer como aperitivo em cubinhos, temperado do seu jeito.

RENDIMENTO: Aproximadamente 400 g.

HAMBURGÃO DO PRESENTE

TEM MUITA GENTE FALANDO DE HAMBÚRGUER DO FUTURO, MAS ESTE AQUI É PARA SER DEVORADO AGORA, NO PRESENTE! É CASEIRO E SAUDÁVEL. AFINAL, SE É PARA SER VEGANO, QUE NÃO TRAGA SOFRIMENTO E AINDA FAÇA O BEM!

O HAMBÚRGUER É PERFEITO QUANDO TEM SUCULÊNCIA, ESTÁ NO PONTO E TEM AQUELE GOSTO DE BRASA. VOU ENSINAR O PREPARO DO *BURGER* E DO PÃO! QUER VER SE A RECEITA É BOA MESMO? CONVIDE AQUELE SEU AMIGO CARNÍVORO PARA PROVAR E DEPOIS ME CONTA. PROMETO NÃO DECEPCIONAR.

HAMBÚRGUER VEGANO

INGREDIENTES

1 beterraba pequena (você vai usar ¼ de xícara)
1 xícara de feijão-branco cozido
1 xícara de lentilha cozida
1 xícara de cogumelos picados e refogados com cebola
1 colher (sopa) de extrato de tomate
2 colheres (sopa) de molho *barbecue*
1 colher (sopa) de salsa picada
4 colheres rasas (sopa) de farinha de arroz
uma pitada de páprica defumada
2 dentes de alho ralados
1 colher (sopa) de linhaça (ou farinha de linhaça)
sal e pimenta-do-reino a gosto

MODO DE FAZER

Asse a beterraba no forno envolta em papel-manteiga. Ainda quente, tire a casca e pique-a rusticamente. Reserve apenas ¼ de xícara de beterraba (o que sobrar, deixe na geladeira e sirva com alguma salada de sua preferência). Em um processador (ou liquidificador), misture o feijão branco, a lentilha, os cogumelos e processe rapidamente. Em seguida, adicione a beterraba, o extrato de tomate, o *barbecue*, a salsa, a farinha de arroz, a farinha de linhaça, a páprica, o alho ralado e bata novamente. Deixe descansar em um recipiente por 1 hora na geladeira. Faça bolas e achate-as, modelando em formato de hambúrguer. Coloque em uma fôrma antiaderente e deixe descansar na geladeira por mais 1 hora.

Está com tempo sobrando? Então vamos fazer o pão... É bem rápido!

DICA

Na hora de moldar os hambúrgueres, caso ainda esteja grudando nas mãos, adicione um pouco mais de farinha de arroz para dar o ponto.

PÃO DE HAMBÚRGUER CASEIRO DE MANDIOQUINHA COM ERVAS

INGREDIENTES

1º PASSO: ESPONJA

½ xícara de farinha de trigo (preferencialmente orgânica)
1 colher (sopa) de açúcar demerara
½ colher (sopa) de sal
1 sachê de fermento biológico (aproximadamente 10 g)
½ xícara de leite de castanha de caju morno (também pode ser água morna)

2º PASSO

2 colheres (sopa) de azeite
1 xícara de mandioquinha cozida, em ponto de purê
2 colheres (sopa) de farinha de linhaça
2 colheres (sopa) de ervas secas de sua preferência
2 xícaras de farinha de trigo (preferencialmente orgânica)

MODO DE FAZER

1º PASSO: ESPONJA

A esponja é a primeira fermentação do pão. Em uma vasilha, misture primeiro os ingredientes secos: a farinha, o açúcar, o sal e o fermento. Em seguida, adicione o leite morno. Misture tudo e mantenha em temperatura ambiente coberto por um pano por 7 a 10 minutos. Quando a esponja tiver dobrado de tamanho, siga para o 2º passo.

DICA

Caso a sua esponja não tenha crescido, o fermento não está ativo e pode estar velho. Nesse caso, compre um novo e refaça todos os passos.

2º PASSO

Na vasilha da esponja, adicione o azeite e a mandioquinha cozida em ponto de purê. Nesse momento essa mistura vai estar com uma textura pastosa e grudenta. Siga incorporando os secos: a farinha de linhaça, as ervas e a farinha de trigo. Adicione aos poucos para não empelotar. Trabalhe bem a massa com as mãos até que ela fique elástica. Se necessário, coloque mais farinha, afinal a massa não pode grudar nas mãos. Deixe a massa descansar por 45 minutos em temperatura ambiente, ou até que praticamente dobre de tamanho. Divida a massa em 5 partes iguais. Molde em formato de pão de hambúrguer. Unte uma assadeira e leve ao forno médio por 20 minutos.

FINALIZAÇÃO

Antes de servir, tempere os dois lados do *burger* com sal e pimenta-do-reino. Grelhe em uma frigideira antiaderente com um fio de azeite. Sirva com o pão caseiro de mandioquinha com ervas e coloque seus acompanhamentos preferidos.

SUGESTÃO DE INGREDIENTES PARA ACOMPANHAR

Mozarela vegana (ver receita na página 231)
Alface romana *baby*
Tomate em rodela
Repolho roxo picado bem fininho
Homus com cebola dourada

RENDIMENTO: 5 hambúrgueres completos.

TORTA VEGANA DE CHOCOLATE DA DONA LEOA

DIFERENTE DE OUTRAS LEOAS, ESSA NÃO É CARNÍVORA E TEM AMOR INCONDICIONAL PELOS ANIMAIS. ESTA TORTA FOI INSPIRADA EM UMA SENHORA DE PERSONALIDADE FORTE E DONA DE GRANDE SIMPLICIDADE.

INGREDIENTES

MASSA DA TORTA

2 xícaras de nozes (pode usar amêndoas ou castanha de caju)
20 tâmaras sem caroço
2 colheres (sopa) de pasta de amendoim
1 colher (chá) de óleo de coco derretido

GANACHE

2½ xícaras de leite de amêndoas
3 barras de chocolate vegano de 80 g, totalizando 240 g
1 colher (chá) de licor de laranja (ou raspas de laranja)
1 colher (sopa) de melado de cana

DICA

Para ter certeza de que o chocolate é vegano, verifique sempre o rótulo do produto.

DECORAÇÃO DE FRUTAS VERMELHAS

1 xícara de frutas vermelhas a gosto (morango, framboesa, mirtilo, groselha)
1 colher (sopa) de vingare balsâmico
1 colher rasa (sopa) de açúcar mascavo
1 colher (café) rasa de extrato natural de baunilha

MODO DE FAZER

MASSA DA TORTA

Bata todos os ingredientes em um processador e transfira para uma fôrma antiaderente. Leve ao forno em temperatura de 180 °C por aproximadamente 10 minutos. Espere esfriar e reserve.

GANACHE

Aqueça o leite e misture em um recipiente com o chocolate picado, o licor e o melado de cana. Mexa bem até que o chocolate derreta e se incorpore a todos ingredientes. Prove a doçura; se não estiver do seu agrado, coloque mais um pouco de melado de cana ou adoce com um pouco de açúcar orgânico. Disponha a *ganache* na fôrma sobre a massa e leve à geladeira imediatamente por no mínimo 2 horas. Enquanto isso, prepare a decoração das frutas vermelhas.

DECORAÇÃO DE FRUTAS VERMELHAS
Misture as frutas com o balsâmico, o açúcar e o extrato de baunilha. Após um tempo, as frutas vão começar a soltar um pouco de água. Todos esses sabores combinados ficam incrivelmente deliciosos.
Corte fatias da torta e sirva com as frutas vermelhas e a calda que se formou.

RENDIMENTO: 8 pedaços.

GELO DE ERVAS, FRUTAS E FLORES ORGÂNICAS

NÃO CHEGA A SER UMA RECEITA, MAS UMA IDEIA GENIAL PARA SERVIR COM ÁGUA, DRINKS E SUCOS. DÁ VIDA, COR E SOFISTICAÇÃO À MESA. ALÉM DE SER SUPERFÁCIL E RÁPIDO DE FAZER, TAMBÉM SERVE PARA REAPROVEITAMENTO DE TEMPEROS, FRUTAS E FLORES COMESTÍVEIS. COLOQUE TODOS A SEU GOSTO EM UMA FÔRMA DE GELO COM ÁGUA E LEVE AO CONGELADOR.

AS PEDRAS DE GELO FICAM BONITAS E AROMÁTICAS COM FOLHAS DE MANJERICÃO OU DE SÁLVIA, FATIAS DE MORANGO, KIWI OU LIMÃO, MIRTILO, FRAMBOESA, GROSELHA FRESCA E FLORES DE DIFERENTES CORES. FAÇA CADA GELO DIFERENTE DO OUTRO. DEPOIS SIRVA A SEUS CONVIDADOS E OBSERVE A GALERA PIRANDO, OLHANDO E CHEIRANDO OS COPOS. É TÃO FÁCIL DE FAZER E TÃO DIVERTIDO PARA SERVIR PARA OS AMIGOS.

SÓ NÃO USE FLORES ORNAMENTAIS, VENDIDAS EM FLORICULTURAS, PORQUE APESAR DE LINDAS CONTÊM MUITO AGROTÓXICO.

ESTE LIVRO FOI PUBLICADO EM OUTUBRO DE 2020 PELA
EDITORA NACIONAL, IMPRESSO PELA GRÁFICA IMPRESS.